朝日新書
Asahi Shinsho 765

テクノロジーの未来が腹落ちする25のヒント

朝日新聞「シンギュラリティーにっぽん」取材班

朝日新聞出版

テクノロジーの未来が腹落ちする25のヒント

目次

2章　見えないルーラー（支配者）　119

序章　私たちはいまどこにいるか

Yuval Noah Harari　1976年、イスラエル生まれ。近著の邦訳『21 Lessons－21世紀の人類のための21の思考』が、19年11月に河出書房新社から刊行された。

ユヴァル・ノア・ハラリ氏インタビュー「データに支配されないよう　己を知り抵抗を」

未来を洞察する力を、世界中から注目される歴史学者がいる。ユヴァル・ノア・ハラリ氏。「虚構を信じる力」という特徴を軸に人類の歴史を描いた『サピエンス全史』や人類の行く末を占った『ホモ・デウス』の著書が世界で知られ、オバマ前米大統領やビル・ゲイツ氏ら世界の指導者層にも熱心な読者を多く持つ。

そのハラリ氏を、イスラエル・テルアビブに訪ねた。民主主義の崩壊、人工知能（ＡＩ）やアルゴリズム支配に警鐘を鳴らすとともに、個人や集団として立ち向かうための知恵を熱く語った。

――私たちが直面する大きな課題とは、何でしょうか。

「三つあります。核戦争を含む世界的な戦争、地球温暖化などの環境破壊、そして破壊的な技術革新です」

「三つ目が最も複雑です。ＡＩとバイオテクノロジーの進歩は今後20～40年の間に、経済、政治のしくみ、私たちの暮らしを完全に変えてしまうでしょう。ＡＩとロボットがどんどん人々に取って代わり、雇用市場を変える」

ＡＩが効率化、ナチスよりひどい独裁の誕生か

「新たな監視技術の進歩で、歴史上存在したことのない全体主義的な政府の誕生につながるでしょう。ＡＩとバイオテクノロジー、生体認証などの融合により、独裁政府が国民すべてを常に追跡できるようになります。20世紀のスターリンやヒトラーなどの全体主義体制よりもずっとひどい独裁政府が誕生する恐れがあります」

――21世紀の技術は、民主主義よりも専制主義を利すると。

「20世紀、中央集権的なシステムは非効率でした。中国やソ連の計画経済は情報を１カ所に集めようとしましたが、データを迅速に処理できず、極めて非効率で愚かな決定を下しました」

「対照的に、西洋や日本では情報と権力は分散化されました。消費者や企業経営者は自分で決定を下すことができ、効率的でした。だから冷戦では、米国がソ連を打ち負かしまし

た。しかし技術は進化している。いま、膨大な情報を集約し、AIを使って分析することは簡単で、情報が多ければ多いほどAIは有能になる」

「例えば、遺伝学です。100万人のDNA情報を持つ小さな会社が多くあるより、10億人から集めた巨大なデータベースのほうが、より有能なアルゴリズム（計算方法）を得ることになる。危険なのは、計画経済や独裁的な政府が、民主主義国に対して技術的優位に立ってしまうことです」

——世界を支配するのは、人間ではなくなるのでしょうか。

「何も手を打たなければ、新たな技術は、ごく少数のエリート、国によっては独裁的な政府に強大な力を与えるでしょう。もっと深いレベルでは、真の力はアルゴリズムが持ちます。人間では不可能な量の情報を集めて分析するからです。金融システムを例に挙げましょう。今でも、どう機能しているかを理解している人は全体の1％かもしれない。でも30年後にはゼロになる。『金融危機に直面しています』と大統領に進言するのはアルゴリズムになります」

「首相や大統領は人間だが、大統領に進言するのはアルゴリズムです。説明を求めても、AIはこう言うでしょう。『人間のあなたには理解できません。私は36兆ビットのデータを分析したのです』。公式には権力は大統領にあっても、自分では理解できないことについて決定を下すことになります」

――「(アルゴリズムが人間を凌駕《りょうが》する)引き返せない地点」は近くまで来ているのでしょうか。

「とても近いと思います。国によるでしょう。5年か10年か20年。手遅れになる前に、各国で取り組む必要があります。中国と米国の間でAI軍事競争が進み、多くの国が取り残されることになる。いま行動を起こさなければ、20年後には手遅れです」

――働き手や企業にとっては、何が問題ですか。

「最大の問題は仕事の消失です。仕事はAIやロボット、自動運転車などに奪われる。新たな職業は生まれます。問題は、仕事の絶対量の不足ではなく、自らを再訓練できるかです。例えばバス運転手が、自動運転車のせいで仕事を失ったとします。車のデザインやソフト作成の仕事はある。では、40歳の運転手をソフト開発者に再訓練できるでしょうか」

「精神的な問題もあります。ある年齢になって、自己改革を迫られるのはストレスのかかることです。監視の問題もある。10年後に就職面接に行くと、アルゴリズムがすべてのデータを確認する。あなたの生活すべてが、長くストレスのたまる就職面接なのです」

物語の「真空」を埋めに来るポピュリズム

——政治について聞きます。米国のトランプ氏は多くのうそをついて大統領になり、「ポスト・トゥルース（真実かどうかは重要ではない）時代」と言われます。

「フェイクニュースやポスト・トゥルースの現象は非常に心配です。だが、新しいものではない。人類の歴史と同じだけ存在しています。20世紀初頭のファシズムや共産主義のプロパガンダが多くの人をだましたように、過去は今よりもっと悪かった。中世にも、（誤った情報による）魔女狩りや大虐殺の例がある」

——ではなぜ今、世界各地でポピュリズムが隆盛を迎えているのでしょうか。

「大多数の人にとって世界を理解するのは『物語』を通じてです。事実や統計に基づいて、ではありません。その『物語』が次々と崩壊し、真空状態にある。真空状態は良識ある未来へのビジョンではなく、過去への郷愁に満ちた空想（を語るポピュリズム）によって埋められています」

「20世紀には、共産主義、ファシズム、自由主義という、世界を説明する三つの大きな『物語』がありました。第2次世界大戦でファシストの物語が崩壊した。次に、共産主義と自由主義との間の闘争となり、共産主義が崩壊した。多くの人々は『歴史は終わった』と感じたが、自由主義の物語も崩壊しつつある。気候変動、機械による自動化、ＡＩの進展によって生じる多くの困難を、自由主義は解決できずにいます」

――ポピュリストの何が問題なのでしょうか。

「独裁的な傾向を持っていることです。間違いを認めない。物事がうまくいかないときは、外敵や裏切り者のせいにする。『力が足りないから失敗したんだ。だからもっと強大な力をくれ』と。だが、彼らに力を与えても、また失敗する。未来へのビジョンがないのですから。すると、『まだ裏切り者がいる。さらに力を与えよ』と言うでしょう。ファシズムや独裁主義への道につながります」

「ポピュリズムは、民主的で前向きな運動として始まることがありえます。置き去りにされていると感じる人たちが、自分たちの権利や不安が顧みられていないという感情を表明するためです。それがポピュリストによってハイジャックされ、過激にされうるのです。（過激化する前に）そうした人たちの悩みや問題に、解決策を提供すべきです」

データをだれが持ち、だれがＡＩを開発するかが問題

――大きな課題の一つ目として挙げられた世界的な戦争や核を使ったテロが起きる可能性は。

「可能性は高くはないと思いますが、懸念すべきレベルではあると思います。5年前なら、可能性はきわめて小さいと言ったでしょう。しかし、2016年以降、世界の地政学は急速に悪化しました。自由世界を牽引《けんいん》してきた米国と英国は、その役割を基本的に放棄しました。『自分第一』と言うリーダーには、だれもついて行きたいと思いません。こうした状況が世界的な戦争や核戦争に至る懸念を強めています」

「それはすべての人にとっての大惨事です。前世紀からの教訓の一つは、戦争は誰にとっても悪いことなのに、気をつけないと、また起きるということです。人間の愚かさゆえです。人間は愚かな間違いを犯すのです」

「新著で日本とドイツの例を紹介しましたが、第2次世界大戦で最も興味深いのは、敗戦国がかつてなかったほど繁栄したということです。そうなると、そもそも誰が戦争を必要としているのか。敗戦国は、繁栄するために戦争が必要だと思って、戦争に走った。だが、それは正しくなかった。戦争は誰にとっても大惨事だが、だからといって戦争を避けられるほど皆が賢いわけではない」

――あなたは将来、一部のエリートが、大多数の「ユースレスクラス（無用者階級）」を支配する危険を指摘しています。エリートは、自らを批判的に見て、謙虚になるべきだと考えているのでしょうか。

「人間は間違います。我々は、政府が誤りをおかすことを考慮して政治システムをデザインする必要があります。同様に、個人の哲学においても、無謬《むびゅう》性を前提にすることは、大きな誤りです。作り出すものすべて、デザインするものすべてについて、失敗を考慮する必要があると思います」

――これからの世界で、一部のエリート、あるいは独裁的な政府による「支配」から逃れるにはどうすれば良いのでしょう。

「誰がデータを所有し、どんなAIを開発しているのかが問題です。少数の企業や政府が、すべてのデータを所有するようになったら手遅れです。逆らおうとする者は、簡単にスキャンダルを見つけ出され、おとしめられます。データ（独占を防ぐよう）所有を規制する必要があります。政府がやるべきことです。政府を動かすには、市民が団結して圧力をかけねばなりません。一つの国だけでなく、国際協力も欠かせません」

「また、いま開発されているAIや監視技術のほとんどは、政府や企業が個人を監視するためのものです。でも技術的には、反転させることもできます。私たちはエンジニアに『政府のために、個人が監視されるような道具はいらない。個人のほうが政府を監視する、たとえば政府の腐敗が起きないようにするＡＩを開発してくれ』と頼むこともできます」

――個人にできることは。

「古来、ソクラテスなどの思想家は『己を知る』ことの大切さを人々に説いてきましたが、今は急を要します。あなたを監視し、解読しようとする企業や政府があるからです。彼らがあなた自身よりもあなたを知るようになったら、あなたを操作するのは簡単です。ポピュリストたちのやり方も、同じです。彼らは、人々が何を嫌悪し恐れているかを見つけ出し、感情のスイッチを押し、さらに強い嫌悪と恐怖を生み出します」

「抵抗するには、まず、あなた自身の弱さを認識する必要があります。『自分には、移民やイスラム教徒への偏見がある。そういったテーマのフェイクニュースにだまされるのは簡単だから、気をつけよう！』と。方法はたくさんあります。私自身は（1日2時間の）瞑想《めいそう》を実践していますが、心理士に会うとか、芸術に触れてもいい。山登りやハイキングを、自分自身を理解する機会としても使えるでしょう」

テクノロジー・独裁・無用者階級
――ハラリ氏のメッセージを読み解く

ハラリ氏が描き出した未来は現実に忍び寄る。ＡＩやバイオテクノロジーの進化は、ビッグデータによる支配や格差の拡大を招きかねない。驚異的に進む技術革新にどう向き合えばいいのか。

「19世紀には多くの国が、産業革命で蒸気船や鉄道を手にした英国やフランスの植民地になった。それが今はＡＩで起こっている。20年待つと、多くが米国か中国の植民地になる。国のレベルで今すぐ行動を起こさなければ手遅れになる」

人類に恩恵をもたらすはずが逆に脅威になる技術。その一つにハラリ氏は「ＡＩ兵器」の存在を挙げる。

「カミカゼ（自爆）ドローン」。そんな別名を持つ全長約1メートルの無人機が加速しながら垂直に降下し、標的に着地して爆発した。

19年6月、モスクワ近郊であった見本市で、ロシアの軍需メーカー、カラシニコフグループは新兵器の画像を披露した。ウラジーミル・ドミトリエフ社長は「監視や輸送に使ってきたシステムを初めて打撃に応用した。戦争のあり方を変える」と説明する。

自ら動き画像などの情報を収集し、AIが敵味方を判断して攻撃を決定するドローンや戦闘車両――。「自律型致死兵器システム（LAWS）」と呼ばれるロボット兵器は米中やロシア、イスラエル、韓国が研究しているとされる。

19年8月にジュネーブで開かれたAI兵器についての国連の専門家会合は、規制に関する初めての指針を採択した。ただ、条約など法的拘束力のある規制に踏み込むのは簡単ではない。ハラリ氏は「20年後には手遅れになる」と訴える。

バイオ技術が「生命の格差」につながる恐れ

ハラリ氏がAIとともに「今後20~40年の間に経済、政治のしくみ、私たちの生活を完全に変えてしまう」と警告するのがバイオ技術だ。

19年5月、遺伝子治療技術を使った白血病向けなどの製剤「キムリア」の薬価が過去最高の約3349万円に決まり話題を集めた。バイオ関連の技術革新はめざましいが、すべての人が最新治療の恩恵にあずかれるとは限らない。

ベストセラーになった著書『ホモ・デウス』で、ハラリ氏は予想している。「2070年、貧しい人々は今日よりもはるかに優れた医療を受けられるだろうが、彼らと豊かな人々との隔たりはずっと広がる」

狙った遺伝子を効率よく編集できる「ゲノム編集」の技術「クリスパー・キャス9」が12年に登場し、遺伝子治療や創薬などへの応用が加速した。しかし中国の研究者が18年秋、人間の受精卵にこの技術を使い、エイズウイルスに感染しにくい体質にした双子の女児を誕生させたと発表。安全性が十分に確保されていない技術を人で試したことに批判が集まった。

ゲノム編集のベンチャーをつくった神戸大の近藤昭彦教授は「がんのように遺伝子が壊れた疾患は遺伝子治療で根治できる」とバイオ技術の可能性を強調する一方、「高額の薬価を引き下げて多くの人が使えるようにし、AI兵器と同じように、バイオも倫理面の研究に力を入れないといけない」と指摘する。

雇用市場に現れた「絶滅危惧種」

「ＡＩとロボットが人々に取って代わり、雇用市場を変える。学校は子どもたちに何を教えるべきかもわからない」

著書『ホモ・デウス』で、社会の変化についていけず職に就けない「無用者階級」が生まれる未来を予見したハラリ氏の世界には、日本の経営者も関心を持つ。その一人、みずほフィナンシャルグループの佐藤康博会長は「ＡＩが人の知能を超えるシンギュラリティーが来れば無用者層とも呼ぶべき人たちが出てくる。現代人が日常で感じる将来への不安を深くえぐり出した」と語る。

ＡＩやビッグデータといったテクノロジーについていけなければ、金融業は生き残れない。社長時代の17年秋、10年間で約8万人の人員のうち、約1・9万人を削減する構造改革を佐藤会長が打ち出したのも、そうした危機感からだった。

スマホを通したサービスの普及により、駅前の一等地に構えた店舗に来る客は減る。ネット系など異業種からの参入も進み、みずほはソフトバンクと組み、AIを使って人の信用力を点数化し、融資判断に役立てる新会社を始めるなど新サービスにも取り組む。「銀行のビジネスモデルそのものがチャレンジを受けている」と佐藤会長は話す。その一つにフェイスブックが計画する暗号資産（仮想通貨）のリブラを挙げ、「通貨の供給量を調節する中央銀行が機能しなくなるかもしれない」と警戒する。

ハラリ氏は、旅行業者と並んで、銀行員を「絶滅危惧種」と呼んでいる。巨大企業の場合、AIの普及で効率化が進むと、人員の余剰感を招きかねない。

「人が余れば、フロントに出てお客様に対応する仕事や企画部門といった、人間でしかできないサービスを担えるように再教育することが大切になる」と佐藤会長は考える。

ただ、AIやロボットがどこまで進化するかは読み切れない。ハラリ氏はこうも語る。

「AIは進化を続ける。人々は一度だけでなく、何度も自己改革を迫られる。このストレスは耐えがたいだろう」

あなたの言論を料理する「中央厨房」

「情報を集約して持つことで、計画経済や専制的な政府は、民主主義よりも技術的な優位性を持つ可能性がある。民主主義と自由市場が常によりよく機能する法則があるなどとは考えるべきではない」

ハラリ氏は、一国の体制を技術が左右する時代が来たと告げる。その一端がすでに見られる場所がある。

北京市内にある中国共産党の機関紙「人民日報」本社ビルの10階にある「中央厨房《ちゅうぼう》（セントラルキッチン）」は、最先端のメディアの現場だ。

湾曲した壁一面に広がるモニター画面の中央に、中国全土の地図が青く映し出される。その上に光る大小の黄色の丸。「それぞれの記事がどの地域でどれだけ読まれているかが表示されています」。案内役の女性が説明する。各部が取材結果を持ち込み、次の取材計画を練るという。

だが、「厨房」の本当の機能は別にある。世論の流れを読み、「動かす」のだ。画面には読者の性別、年齢層、地域などとともに、読者の書き込みから「記事を読んだ人の感情が肯定的か否定的か」も表示されている。

「分析してどうする?」。尋ねると、案内役は当たり前のように答えた。「世論が極端に傾いていないかを見ます。反応を見ながら新たな記事を書き、世論を誘導するのです」

19年3月、新華社通信は習近平《シーチンピン》国家主席のメディア戦略を報じている。「ニュースの収集、発信、反応などでAIの利用を探求する。アルゴリズムを制御し、世論を導く力を全面的に高めていく」

人民日報は新聞、ネット、アプリ、ウェイボーやウィーチャットなどメッセージ機能を持つ「マイクロメディア」の四つの発信源を持ち、17年6月時点でユーザーは約6億3500万人に達する。中央厨房は他の党機関紙のモデルになり、似たようなメディア融合のシステムを、地方の機関紙も取り入れる。

ビッグデータが生む価値は「第2の石油」といわれる。個人データを巨大な利益に変えるグーグルやアマゾンなどの巨大プラットフォーマー「GAFA《ガーファ》」。データで国家を統制する中国のデジタル国家主義。双方が台頭する世界を、私たちはどう進めばいいのか。

ハラリ氏はこう提案する。

「技術はいい方にも悪い方にも働く。いま国家や企業が市民を監視するために一方的に使っている技術を、市民が国家を監視するためのものとして開発すべきだ」

AIが選別する「犯罪多発エリア」で揺れる米国。日本は？

ハラリ氏が言う「国家が監視に使う技術」の一例が、人工知能（AI）を活用した犯罪捜査だ。

米ロサンゼルス市の地図を映し出したスクリーンに、赤く染まったエリアが数十カ所浮かび上がる。そのとき、その場で犯罪が起きる可能性が高い「ホットスポット」だ。19年3月上旬、市内の殺人事件や銃犯罪の半数近くが起きるロス市警南管区の77丁目署の一室。警官ら6人が画面に目を光らせていた。

過去10年に起きた事件の内容や日時、周辺のバーの数、パトカーの滞在時間……。AIが膨大なデータをもとに、犯罪多発地域を150メートル四方ごとに示す。

南管区のデニス・カトウ管区長（59）は「警官の勘ではなく、統計的に正しい情報を教えてくれる」と話す。パトロールは効率的になり、16年8月の最終週に起きた殺人事件は10％、銃犯罪は20％、前年同期より少なくなった。

「偏見助長」と反発も

市民の守り神になるはずだった「AI予測」。しかし、ロス市警で19年3月上旬に開かれた市民の意見を聞く公聴会は荒れた。

「黒人というだけで逮捕される」。NPO職員のレバレンド・バンチさん(32)は叫んだ。AIによる予測や、それを補強する「犯罪予備軍リスト」に対する抗議だった。

過去に銃犯罪に関係した「要注意人物」を選び、ギャングにいた経験があれば5点、路上で職務質問を受けても1点などと加点し、各署ごとに上位20人を抽出。防犯カメラの映像などから要注意人物が犯罪多発地域にいると分かれば、日中巡回する警官約700人が重点的に警戒する。さらに、職務質問で加害者になる可能性が高いと判断した12人を各署で選び、犯罪に関わらないように、注意する手紙を渡している。

「間違えない」と信じられるAIが偏見を助長する恐れはないのか。6歳の時、身に覚えのないまま逮捕された経験のある黒人のバンチさんの不安もそこにある。「偏見に満ちた人がつくるAIは当然、偏りがあるはずだ」

「人種差別主義者!」「恥を知れ!」。市民約40人が参加した公聴会は3時間に及び、退場を命じられる人が相次いだ。

ロス市警の犯罪予測システムを開発した一人、カリフォルニア大ロサンゼルス校のジェフリー・ブランティンガム教授（48）は「例えば犯罪が多い地域にはかつてポーランド人、今は黒人が住んでいることも少なくない。地域を統計的に分析しているだけだ」と話す。ロス市警のカトウ管区長も「データをつくるのではなく、使っているに過ぎない」。ＡＩ予測はシアトルやアトランタなど全米約50の警察で導入されている。

京都、神奈川でも導入の動き

ＡＩを犯罪捜査に採り入れようとする動きが日本でも広がっている。刑法犯の認知件数は02年をピークに下がり続けているが、警察庁がまとめた警察白書（18年版）では、「人工知能の活用」など、新たな手法を積極的に取り込む姿勢を打ち出した。

京都府警は、犯罪が起きそうな日時やエリアを予測しようと16年から運用しているシステムにＡＩを一部導入する。

それまでのシステムは「最先端の技術を使った科学捜査をめざす」としてＮＥＣなどと開発した。18年にシステムを活用して重点的にパトロールした地域で、車のタイヤを盗もうとした事件など約40件（余罪を含む）が検挙につながったという。

府警は「すでに効果は表れつつある」（刑事企画課）と評価し、精度を高めるためにＡＩを活用する。犯罪が起きやすい「ホットスポット」を１５０メートル四方の範囲で特定して知らせるシステムを導入した米ロサンゼルス市警などを参考にする。

東京五輪・パラリンピックが計画されていた20年からの試験運用をめざすのが神奈川県警だ。

10～15年に起きた約５８０万件の事件関連データに加え、１時間ごとの気象データや道路情報、地域ごとの人口や地形など、官公庁が持つ大量の公開情報を収集。ＡＩに分析・予測させ、16年に起きた事件とどこまで符合しているのかを確かめる。「ＡＩを使えば、住民の体感治安が向上するのではないか」と、生活安全総務課の担当者は期待する。

ＡＩを使っても使わなくても、特定の地域を重点的にパトロールすれば犯罪は減るだろう。しかし、その地域は「犯罪多発」のレッテルを貼られ、貧困や格差が拡大する恐れがある。捜査する警察の側に「偏見」を生み出す可能性もある。

散歩していただけで職務質問をされた経験があるという京都市内の男性（72）は、犯罪が多いとされる地区に住む。「治安がよくなるのであれば問題ないが、プライバシーの侵害は心配だ」と話す。

「都市部を中心にＡＩによる犯罪予測は日本でも広がるだろう。予測エリアを大きく取るなど、住民の個人情報に結びつかないような配慮が捜査機関には求められる」。神奈川県警の予測システムの調査研究に携わる拓殖大の守山正教授（犯罪学）は指摘する。

ＡＩの活用は、犯罪予測にとどまらない。佐賀県警は、銀行のＡＴＭの防犯カメラの映像解析にＡＩを使い、振り込め詐欺の防止につなげる研究を始めた。岡山県警も、膨大な防犯カメラの録画映像の中から犯罪容疑者を見つける作業をＡＩに担わせる研究を進めている。

捜査機関が急速に進化する科学技術を無視すれば、犯罪は抑止できないだろう。しかし、膨大なデータの処理が得意なＡＩを導入することは、さまざまな情報を組み合わせて個人への監視や管理の強化をも可能にする。「ＡＩ社会」がもたらす効用と、人権やプライバシーとの間に、どう折り合いをつけるのかが大きな課題として浮かび上がっている。

＊　＊　＊

本書では次の1章で私たちの雇用、医療、教育などあらゆる局面で、今後どのような大変化が起きるかを読み解き、2章ではハラリ氏も懸念する「新たなルーラー」について、多角的に検証していく。3章では、テクノロジーの進化を社会全体の役に立たせるために今取るべき選択肢を探る。

1章　未来への大転換

論点① AIは人手不足の救世主か

少子高齢化とともに、日本の人手不足は進んでいく。老いる社会の「特異点」に向かう日本で、人工知能（AI）とロボットは、「救世主」になれるのか。

接客ロボット「大量解雇」の誤算

名物の「コンシェルジュ」は、わずか半年でクビになった。

長崎県佐世保市のテーマパーク、ハウステンボスの隣にある「変なホテル」。フロントでは恐竜や女性のロボットが出迎えてくれる。2015年にオープンし、「ロボットが初めて従業員として働いたホテル」とギネス世界記録に認定された。そのロボットホテルで、「リストラ」の嵐が吹いている。

「僕の名前はNAO《ナオ》だよ。よろしくね」。客の質問に応じたヒト型ロボットのNAOにはAIが搭載されていた。「チェックアウトはいつ?」「朝食の時間は?」などの質問を受けながら学習し、人との会話が上手になるはずだった。

しかし実際には、想定外のたくさんの質問が向けられた。例えば「別府温泉に電車で行くにはどこで乗り継ぐの？」「釣り堀を予約して」。客が100人いれば100通りの質問や要望がある。そのすべてに応えるには、まだＡＩの会話能力には限界があった。

ＮＡＯの代わりにロビーで会話の相手をしたＡＩロボットもいなくなった。部屋まで荷物を運ぶポーター役のロボットも消えた。17年のピーク時にホテル全体で27種、243体いたロボットたちはその後、16種128体と半分近くに減った。いずれはロボットの種類を1ケタにまで減らす。

「変なホテル」から姿を消したコンシェルジュロボット「NAO」＝長崎県佐世保市

「人手に頼らないホテルをめざしたのに、ロボットの面倒をみるために人手がかかってしまった」。大江岳世志・総支配人（35）は振り返る。部屋数は開業当初より3倍近い200室に増えたが、当初の約30人から8人に減らした従業員が数時間かけて充電したり、インターネットにつないだりと、ロボットを働かせるために追われた。

茨城県出身の大江さんは、ハウステンボスの親会社である旅行会社エイチ・アイ・エス（HIS）の社内公募で総支配人に選ばれた。

HISの沢田秀雄社長から託されたミッションは「生産性を追求した今までにないホテル」。佐世保市は人口約25万人、付近には大きなホテルも立ち並び、ハウステンボスもスタッフ集めには苦労している。省力化は変なホテルの宿命だった。

「ロボットは万能ではない。ただ仕事を一部任せれば人の負担は少し減る。どこまで任せるのか。丸3年やってみて、その切り分けが大切だと気がついた」と大江さんは話す。

今後はロボットではなく、テクノロジーで未来感を演出する。18年春にはAIを使ったNECの顔認証技術を使い、店員のいない国内初の本格的な「無人コンビニ」を始めた。実験ホテルの試行錯誤は続く。

AIで自動化に挑む物流

長さ約3メートルのアームを大きく伸ばし、黄色いロボットが洗剤の詰め込まれた段ボール箱をつかみあげる。クルリと回転し、コンベヤーに次々と下ろしていく。

18年8月、日用品卸大手パルタック（本社・大阪市）の物流センターが新潟県見附市の産業団地の一角にできた。最新鋭の物流拠点として、AIを搭載するアーム型ロボットを採用した。ドラッグストアなどからの発注に応じ、メーカーから納められた日用品を自動で仕分ける。

子供用おむつ、ペットボトル……。商品の点数は約2万点に及ぶ。商品が詰められた段ボール箱は形もさまざまだ。目的の商品を3Dカメラで見分け、コンベヤーに下ろすまでの最短経路をAIが瞬時に計算する。人が積み下ろししていた作業を完全に自動化した。

AIによる制御装置をつくったのは、東京都墨田区の下町にあるベンチャーのムジンだ。その技術は中国ネット通販2位の京東商城（JDドットコム）が上海につくった無人倉庫にも採用された。「人手不足に悩むすべての産業にAIロボットを提供したい」と滝野一征・最高経営責任者(34)は意気込む。

パルタックが採用した理由も、深刻さを増す人手不足だ。

少子化や若者の流出で、地方ではパートが集まりにくくなった一方、アマゾンなどネット通販の急成長で物流量は増えた。新潟の場合、パートの人数は約80人で近くにあった旧センターと変わらないが、出荷額は倍の250億円になった。「やがて完全に無人化したい」とパルタックの三木田雅和・研究開発本部長(45)は話す。

三木田さんは自動車大手のホンダに勤めていたとき、二足歩行ロボット「アシモ」を開発していた。しかし、事業化は難しく、今後の開発計画は未定だ。「世の中に役立つロボットをつくりたい」と三木田さんは転職を決め、15年に畑違いの物流業界に転じた。

自分で考えて歩くアシモで培った自律移動の技術は、新潟の物流センターでも生きる。商品を保管する高さ約9メートルの巨大倉庫には、小さなAIロボットも使われ、商品の格納と出庫の完全自動化を支える。

「技術革新の速度はめざましい。やがてAIやロボットに人の仕事は奪われ、所得格差は広がる。完全自動化で物流コストを下げれば、所得の低い人も日用品を買えるし、生活水準を維持できる」。三木田さんは先の時代をこう見すえる。

仕事を失う人、どう支援?

AIやロボットによる自動化は「待ったなし」の課題だ。15~64歳の「生産年齢人口」

は50年、ピーク時の1995年の6割まで減る。

ホテルや旅館などの宿泊業の場合、約60万人いる就業者は30年に48万人まで減ると、みずほ総合研究所は予測する。政府が掲げる「30年に訪日外国人6千万人」の目標を達成すると、13万人の人手が足りなくなる。

AIやロボットを使って生産性を今より30％向上させれば48万人でも足りる計算だが、みずほ総研の宮嶋貴之・主任エコノミストは「AIがどこまで進化するのかは読みにくい。料金支払いなどフロントの一部は自動化できても、人との意思疎通が欠かせないコンシェルジュなどは置きかえられない」と指摘する。

政府の試算によると、AIの活用が進んでも働き手の数も減るため、30年には約64万人分の人手が不足する。職種でみると、介護職員や最先端の技術者らコミュニケーション力や専門能力が必要な仕事は増える一方、工場の生産ラインや事務職などの定型的な仕事は大きく減る。

仕事を失う人たちの転身をどう支援するのか。AI社会に必要なスキルをどう身につけてもらうのか。考えるときがもう来ている。

論点②「働かなくていい」社会か「働けない」社会か
――雇用とベーシックインカム

人工知能（ＡＩ）が雇用を奪う、との心配が広がる。テクノロジーが脅威になるとき「公的な支え」が必要にならないのか。個人はどう備えればいいのだろうか。

政権交代で泡と消えたユートピア

白い煙をはき出す製鉄所の煙突群が見える。五大湖のひとつ、オンタリオ湖沿いに広がるカナダ・ハミルトン。低所得者が多い労働者の街で、元銀行員のジェームズ・コルーラさん(29)は途方に暮れている。

「お金をどう工面しようか。生きていくために、それればかり考えている」

ハミルトンがあるオンタリオ州政府は17年7月、仕事の有無にかかわらず低所得者に一定額のお金を支給する最低所得保障制度「ベーシックインカム（ＢＩ）」の実験を開始。コルーラさんは月約９００カナダドル（約7万3千円）を受けていたが、これが19年3月、突然打ち切られた。

大学を出て5年間、地元の銀行に勤め、個人客を相手にする店舗の窓口で働いた。来店客にスマートフォンの使い方を教えたり、インターネットバンキングについて説明したりするのが、仕事の中心だった。大学時代に学んだ経済学を生かす機会はなかった。

銀行の窓口を訪れる客は年々減っていった。現金自動出入機（ATM）などの機械化が進んだだけでなく、ネットバンキングも当たり前の存在になり「30年後の銀行の姿を想像できなくなった」。やがて自分の仕事はAIに奪われる、とコルーラさんは確信した。18年1月に銀行を辞め、州政府が始めたBIの実験に参加した。

州が3年間の計画でBIの実験を始めたのは、貧困対策として最低所得を保障することに加え、支給された人の精神状態や将来への不安がどう変化するのかを把握するためだった。

当初の計画によると、18〜64歳の約4千人を対象に年収の半分ほどを支給し、年約5千万カナダドル（約40億円）の予算を見込んでいた。

コルーラさんはセラピストなどのバイトをしながら大学で学び直し、ボランティアで壁に絵を描く日々が続いた。「人間だからこそ、できることがある。芸術や人の心に触れ、癒やしを与えることに重きを置いて生きたい。そうすればＡＩとも共存できる」。銀行で毎日10時間働くよりも、人生を楽しむことに時間を費やす方がよっぽど大事だ、と気づかされた。

しかし18年6月の選挙を受けて、州首相がリベラル派から保守派へと交代すると、「お金がかかりすぎる」と実験の中止を表明。開始からわずか1年9カ月でＢＩは終結した。

ささやかながら、ユートピア（理想郷）のようなコルーラさんの生活は一転した。まずは家賃の安い部屋を探さないといけない。「これからの生活を考えると、恐怖心しかない」

コルーラさんは近い将来、ＡＩが人間の仕事に取って代わる時代が来ると思う。「それを怖がるのではなく、人生を楽しむきっかけと考えるにはＢＩが必要になる。オンタリオの実験結果は、日本や世界中に生かせるはずだったのに」

「ディストピア」どう防ぐ？

ＡＩ時代になぜＢＩが必要か――。19年5月、東京都内であった近未来の社会システムを考えるイベントで、駒沢大学の井上智洋准教授が講演した。「ＡＩ時代には生活保護だけでは不十分。幅広く生活を保障する制度が必要になる」

ＢＩをめぐる議論の始まりは、著作『ユートピア』で知られる16世紀の思想家トマス・モアの時代にさかのぼる。18世紀の産業革命以降、技術革新は肉体労働を中心に雇用を奪ってきたが、ＡＩの登場は知的労働を脅かす、と井上准教授は考える。「工場などでＡＩやロボットが生産するようになれば、多くの人手は必要とされなくなる。雇用は破壊され、所得格差が広がる」

低成長が続き格差が拡大する先進国を中心に、ＢＩへの注目が高まっているのは確かだ。右派と市民政党の連立政権が誕生したイタリアでは19年1月、ポピュリズムの台頭を背景にＢＩが貧困層に限って導入された。予算は１００億ユーロ（約1兆２３００億円）にのぼるといわれる。フランスやインドは20年の法制化をめざす。

しかし、誰にでも最低所得を保障するＢＩは人々の労働意欲をそがないのか。

フィンランドで18年末まで失業者2千人を対象に行った実証実験では、ＢＩを受けた失業者と受けなかった失業者で労働意欲に差はなかった一方で、健康状態が「とても良い」「良い」と答えた人は、ＢＩを受けていた方が9ポイント多かったという。それでも、同国社会保健省は「労働意欲や健康状態の結果がＢＩの影響とは結論づけられない」と本格導入を見送った。

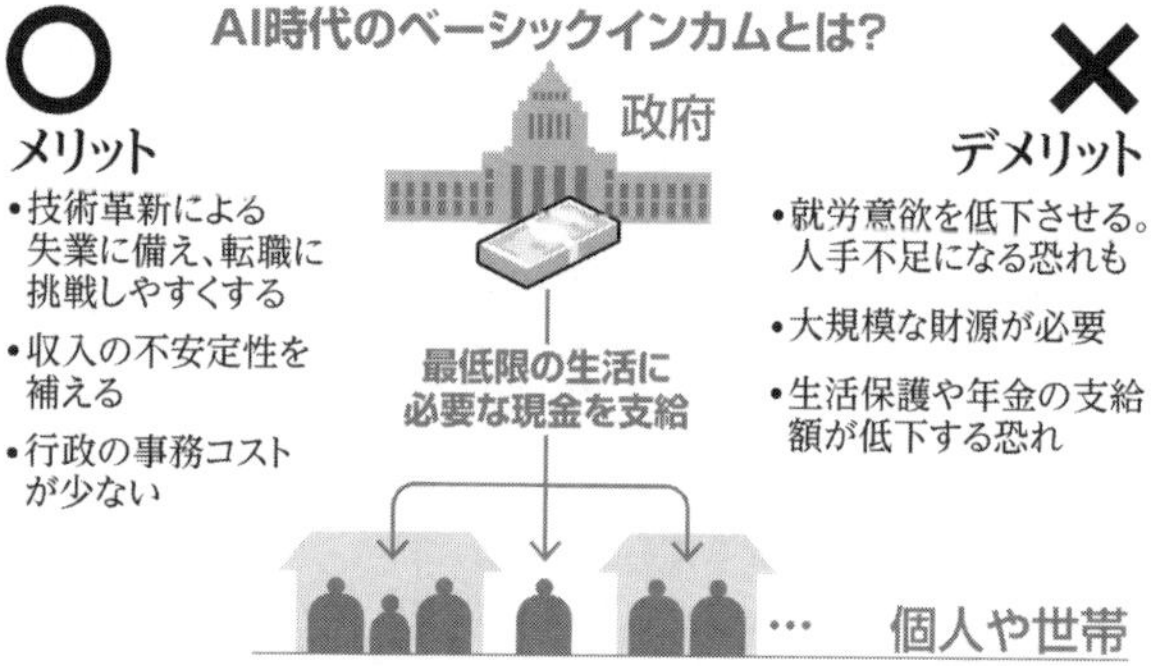
AI時代のベーシックインカムとは?
メリット
•技術革新による失業に備え、転職に挑戦しやすくする
•収入の不安定性を補える
•行政の事務コストが少ない
政府
最低限の生活に必要な現金を支給
個人や世帯
デメリット
•就労意欲を低下させる。人手不足になる恐れも
•大規模な財源が必要
•生活保護や年金の支給額が低下する恐れ

カナダ・オンタリオ州では…

- 年収3万4千カナダ㌦（約280万円）以下の個人らに年収の約半分を支給する実験を2017年開始
- 対象は18～64歳の4千人
- 期間は3年間。予算は年約5千万カナダ㌦（約40億円）

→ **お金がかかりすぎるとして1年9カ月で中止**

スイスでは16年、BI導入の是非を問う国民投票を実施したが、否決された。財政支出が膨らむことへの懸念が主な理由だった。

BIという「バラマキ」策が財政を悪化させる懸念もつきまとう。

AIが生み出しかねないディストピア（反理想郷）を防ぐため、日本でBIが導入されるとしたら、最大の壁はやはり財源問題だ。

三菱総合研究所が18年4月、国内の会社員ら3千人を対象にしたアンケートによると、BI導入について24％が「必要」とし、月に平均「10万円」の支給が必要と答えた。一方、「不要」は28％だった。

三菱総研によると、18歳以上に月10万円、17歳以下に半額を給付した場合、約130兆円の財源が必要になる。19年度予算の社会保障費34兆円の約4倍にも相当し、消費税率を49％に上げないと捻出できない。

アンケートでも、給付をまかなう負担を明示するとBIが「必要」との回答は12％にまで減った。三菱総研の森重彰浩シニアエコノミストは「負担増に抵抗を感じる人は多く、日本でのBI導入は現実的とは言えない」と指摘する。

「自分の仕事がAIに奪われてしまう」

ハミルトンのコルーラさんが銀行員時代に経験した日常は、日本でもひとごとではない。

東京都目黒区の商店街の一角に、19年1月オープンした三菱UFJ銀行の新型店舗「MUFG NEXT」は、近未来の銀行の一つの姿を予感させる。

スリム化された店頭にはカウンター窓口がない。ネットバンキングの口座開設などは来店客が自分でタブレット端末を操作。税金や公共料金などは自動受付機で支払う。住宅ローンもテレビ電話を使ってオペレーターに相談して申し込む。店頭にいるコンシェルジュは、端末の操作などをサポートするのが仕事だ。

ＡＩを使って店内に10台以上設置したカメラの情報から性別、年齢などを分析し、マーケティングに使うとともに、端末類の配置を改善するなど、より使いやすい店舗づくりにも役立てる。来店した会社員の男性（29）は「ネットで何でもできる時代。若い世代にとっては自動化された方が使いやすい」と話す。

長引く低金利で厳しい収益が続くメガバンクは、業務量や人員の削減を迫られている。三菱ＵＦＪは約1万人分の業務量の削減を進めている。「国内市場は少子高齢化で成長は見込めない。銀行も生き残りのため、新しい技術をどう使いこなすのかを問われている」（デジタル戦略の担当者）

三菱ＵＦＪは23年度までに、ＩＴを駆使した軽量化店舗を70店程度に増やし、現在の約５００店のうち、従来の窓口がある店舗を約半分にする計画だ。みずほフィナンシャルグループ（ＦＧ）も10年間で１・９万人の人員を削減し、三井住友ＦＧは３年で約５千人分の業務量削減を進めている。

30年ごろ、日本の労働人口の49％が自動化される可能性がある――。野村総合研究所と英オックスフォード大が15年に出した報告書は、銀行の窓口係と並び、経理事務員、スーパーの店員などがＡＩやロボットに取って代わられやすいと予想した。

やがてＡＩに自分の仕事が奪われてしまう――。千葉県にある東レの工場で、経理の仕事をしていた鈴木隼人さん（27）が不安に感じ始めたのは、入社3年目の17年初めのころだった。

工場の決算をまとめるための原価計算や在庫の仕分けは会計ソフトで自動化されていた。数字の手入力作業はほとんど残されていなかった。

鈴木さんは埼玉の高校を出た後、公認会計士をめざして勉強したが、3年後に東レの内定をもらい、一般職で入社した。「大卒の総合職と違って、自分は他の部署にもいけない」。昼休みや飲み会などで同僚と集まると、将来への不安が自然と口をついた。

17年夏に会社を辞めた鈴木さんは、もともと夢だった公認会計士の国家試験に挑戦することにした。

簿記の家庭教師や監査法人のバイトをしながら、都内の予備校に通った。17年末の会計士の1次試験に受かった直後に妻の妊娠がわかった。バイトの後の勉強はつらかったが、「生まれてくる子どもはどうなる」。自分に言い聞かせ、18年夏の2次試験に合格した。

今は都内の会計士予備校で講師を務める。会計士の仕事もＡＩの影響を受けるといわれる。目まぐるしく技術革新が進む時代には個人としての備えが必要になる、と鈴木さんは言う。「一つのスキルに固執すると、自分の職がなくなるかもしれない。学び直しはとても大切だと思う」。次は「大卒」の肩書を得るため大学に通うのが目標だ。

論点③ AIが仕事を生むのか奪うのか

インターネットを通じて単発の仕事を請け負う「ギグワーカー」がめだち始めた。背景には人工知能（AI）など、「仕事」と「人」とを結びつけるテクノロジーの進化がある。その新しい働き方の頭上には、これまでなかった支配者の気配も見え隠れする。

1日の睡眠は2回に分けて計3時間

ベッドから起き上がると、栄養ドリンクをまず飲み干す。それを号砲に、そのまま半袖短パン姿でパソコンが置かれた机につく。23年間勤めた電機メーカーの販売代理店を辞め、17年に専業のギグワーカーになった北九州市の男性（50）の日課だ。

自宅にパソコンさえあればいいので、同居する79歳の母親の面倒を見ることができる。職場での人間関係のトラブルも、煩わしい通勤もない。何より、自分の意思で仕事の量も収入の目標額も変えられる。

仕事は単純なものが多い。不動産情報サイトに市町村名や駅名を入力して検索し、ヒットした件数を報告したり、ブログに暴力や薬物など問題のある書き込みがないかを確認したり。AIによる自動応答システム「チャットボット」の学習用に、ほかのギグワーカーが作った質問の文例に誤字や間違いがないかを確認する作業もある。1件2〜4円の仕事を1日約1万件こなしている。

やる気次第で、時給は1500円にも2千円にもなるギグワーカー。高度な専門性を持つエンジニアでは、年収1千万円を超える人もいるという。

しかし、いいことずくめとは言い切れない。男性の毎日の睡眠は、仕事の合間に分けて取る2回の仮眠。平均すれば1日3時間ほどだ。「仕事の量をこなすには、睡眠を削るしかない」。睡眠以外の時間はパソコンの前で過ごす。

「いつ仕事が減るかもしれず、できる時にやらないと」。追い立てられているようでもある。寝る間を惜しんで働いて、男性の月収は40万円ほどと会社員時代と変わらない。

「AIが進化すれば自分の仕事はなくなるだろう。もっと自分にしかできない仕事がしたい」と思うこともある。高単価な仕事を得るために、動画編集などを勉強したいが、今はそれに割く時間がない。

フリーランスの仕事仲介サイト大手「ランサーズ」(東京)によると、ギグワーカーはかつて、ウェブ制作といった創造性が求められる仕事が多かった。しかし最近では、経理や秘書といった事務系のほか、マーケティングやコンサルティング業務にまで職種が広がっているという。

家計を補うため、空いている時間に会社員や主婦が「副業」するケースも増えるなど、働き方そのものが大きく変化している。

副業のおかげで生計を立てられているのが、京都府に住む女性(28)だ。地元のクリーニング会社で正社員として働きながら、毎日帰宅後の1～2時間で別の仕事をこなす。18年、夫が適応障害と診断されて仕事を辞め、自分が家庭を支える立場になった。しかし、本業だけでは生活できない。「このイラストは男性か女性か」「その人は右と左どちらを見ているか」――。画像データをAIに学ばせるための下処理の作業などで、月約10万円の収入を得る。

子どもがほしいと思うが、「私が休んだら、生活が立ち行かなくなる」。いつも漠然とした将来への不安と背中合わせだ。

身近なところでギグワーカーが浸透していると分かるのは、飲食配達の代行サービスだろう。

東京都北区に住む男性（36）は「ウーバーイーツ」の配達員など四つの配送を掛け持ちしている。17年、子どもの誕生をきっかけに、給料の安かった会社を辞めてあえてギグワーカーになった。

看護関係で働く妻（38）が勤めに出る日曜、祝日は、2歳になる娘の面倒を見るのが男性の役目。曜日によって保育園の迎えもある。時間が選べる働き方は「すごく便利で、そうでなければ共働きの家庭が回らない」と感じている。

仕事はスマートフォンのアプリで見つけ、配送ルートや報酬もすべて機械が決めてくれる。朝から晩まで空き時間ができぬよう、常に仕事で埋まるようにアプリをこまめにチェックしている。客探しは、街でお宝を探すスマホゲームをやっているような感覚で楽しいとさえ思う。

「深く考えなくていいし、効率もいい。とんでもなく便利になっている」

テクノロジーの恩恵を享受してきた男性が「この仕事をずっと続けることはできないな」と心の奥底で感じ始めた出来事がある。自転車で配達中に交通事故に遭ってケガをした。明日から働けなくなっても、補償は何もない。

そんなギグワーカーの不安定な労働環境は「先進国」米国ですでに問題になっている。

自由な働き方か、テクノロジーの奴隷か？

空が白み始めている。米ロサンゼルス市内はまもなく午前6時。ルイス・バスコスさん（40）は、前日から19時間も車のハンドルを握り続けている。

ライドシェア（相乗り）配車アプリ「ウーバー」と「リフト」の運転手になったのは16年。「好きな時間に働ける」のを魅力に感じ、勤めていた会社を辞めた。

当時は運転手の数が少なく、手数料込みで週に5千ドル（約54万円）を稼ぐほど仕事があった。時間とお金にゆとりが生まれ、別れた妻から当時8歳の娘を引き取ることができた。

風向きは1年足らずで変わった。

運転手の希望者が急増して競争が激化。アプリの運営会社は、乗客が払う代金から徴収する手数料を大幅に引き上げた。当初は20％ほどだったものが40～50％程度になった。

残る手取りのうち、半分近くはガソリン代に消えてしまう。「もっと稼がねば」と夜通し、車を走らせる悪循環に陥った。シャワーを浴びる時間もなく、「車内が臭い」と言われて乗客からの評価も下がった。せっかく一緒に暮らし始めた娘との時間さえ、全くなくなってしまった。

バスコスさんが二つのアプリを掛け持ちして毎日12時間近く働いても、週800ドル（約8万6千円）程度にしかならない時も。時給に換算すると、従業員26人以上の企業で12ドルとされるカリフォルニア州の最低賃金を割ることがある。

しかし運営会社は、運転手は雇用関係のない「個人事業主」なので最低賃金を保障する必要はないと主張。手数料の根拠も、運転手としての運行履歴のほか、居住地の郵便番号やクレジットカードの使用履歴をもとに「AIが算出している」として詳しい説明を避けた。さらに、事故を起こしても自分の保険でカバーするしかないという。

「最初は幻を見せられた。今は転職したくても、運転をやめれば生活できなくなる」とバスコスさんは話す。

ライドシェアの運転手はロサンゼルス市内だけで10万人以上いて、うち約3割が専業とみられる。「車のローンを払いながら、車上生活をしている人も少なくない。持続可能なビジネスではない」。18年に結成された労働組合「ライドシェア運転手連合」を取り仕切るアイバン・パルドさん（33）は指摘する。

19年5月には、ライドシェア運転手が全米各地や英国などで一斉にストライキと大規模な抗議デモをし、「ウーバーやリフトは私たちを貧困にする」などと訴えた。

切実な声に押され、ギグワーカーを保護する動きが出始めている。同年9月には、ウーバー本社があるカリフォルニア州で、個人事業主でも条件次第で企業側から最低賃金の保障や事故に対する保険などの対応を受けられる州法が成立した。

英国では16年、ライドシェア運転手への最低賃金の支給や有給休暇の権利を認める判決が出た。フランスでは、ギグワーカーの労災保険料の負担を企業に義務づけ、組合を結成できる団結権を保障する。

バスコスさんは警告する。「テクノロジーの奴隷のような生活は近い将来、日本でも必ず起きる」

日本政府、保護策検討も歯切れ悪く

日本でも、ウーバーイーツの配達員が19年10月に労働組合を結成。取り繕うかのように、運営するウーバージャパンは、配達中の事故に対する「見舞金」制度を新たに設けた。しかし、全体の動きは鈍い。

企業と雇用関係は結ばずに個人で仕事を請け負う働き手は国内でも、ギグワーカーの広がりなどで増えているとみられる。厚生労働省は19年4月、そうした働き手が約170万人いるとする初の試算を公表。政府はその保護策の検討を始めた。

ギグワーカーらは企業の健康保険や厚生年金には加入できず、最低賃金や労災、失業手当といった労働関係法令も原則適用されない。まずは企業が個人事業主と結ぶ契約条件の明示や、契約に関するルールの明確化、報酬の支払いを確実にするといった課題にどう対応するか議論する。

しかし、結論を出す時期について、同省の担当者は「未定」と口を濁す。ギグワーカーをはじめとするこうした働き手は多様な労働形態を取るため、保護の対象をどうするのかを決めるだけでも難しいからだ。

荒木尚志・東京大教授（労働法）は「配達員のようにアプリを通じてだったり、自宅に居ながらのクラウドソーシングだったりと多様な働き方がある。最初から一律ではなく、労働形態に見合った保護策を探っていく必要がある」と指摘する。

テクノロジーの急速な進歩で、働き手を巡る環境は今後、めまぐるしく変わるだろう。

新しい形の働き手を守るために何が必要なのか。その問いが突きつけられる先は、ギグワーカーだけとは限らない。

論点④　AIに人が評価できるのか

私も知らない「自分」を、人工知能（AI）が分析していたとしたら。大量の個人データからその人を評価し、企業の採用や人事管理に活用する動きが広がりつつある。私たちは、どこまで見透かされているのだろうか。

天職に偶然ではなく必然で出会う

突然来た1通のメールが、細西伸彦さん（42）の転職のきっかけになった。

「関心のあるプログラミング言語を生かして、一緒に働きませんか」

縁もゆかりもなかったIT大手サイバーエージェントの人事担当者から18年3月、誘われた。福岡市に住んでいることまで触れられていて、「何で僕のことをここまで知っているのだろう」と驚いた。

市内の物流会社で倉庫管理のシステムを開発していた。ビッグデータの解析やAIの勉強をしており、技術が生かせる企業に転職したいと思った時期もあったが、活動はしていなかった。エンジニアの情報共有サービスに、自ら開発した技術を投稿していたぐらいだった。

そんな両者を結びつけたのが、人材サービスを手がけるAIベンチャー「LAPRAS《ラプラス》」(東京)だ。転職希望者を「募る」のではなく、掘り起こす。本人さえも忘れていた情報を、AIを使ってネットから拾い、その人の能力を点数化する。

5点満点で評価するのは「技術力」「ビジネス力」「影響力」の三つだ。開発したプログラミングを積極的にネットで発信したり、SNSのフォロワー数が多かったりすると、点数が高くなる傾向にある。

潜在的な転職意欲までも判定。ツイッターに「明日、会社に行きたくない」とつぶやけば、転職意欲があると見なされる。実際に転職する人は、活動を始める前にSNSのプロフィル欄を書き換える傾向があるとされ、機械はわずかな変化も見逃さない。

SNSのアカウント名がニックネームだったり複数にまたがっていたりしても、リンク先のブログやプロフィルに使っている画像などから人物を特定し、同一人物の情報として集約していく。趣味や嗜好《しこう》、経歴もまとめる。集めたデータはのべ107万人分にのぼり、うち25万人分は連絡先まで分かっているという。

本人が知らないところで個人情報が企業に提供されることに問題はないのか。LAPRAS側は、個人情報保護委員会に届け出ており、提供されたことを知った本人が希望すれば情報の利用を停止できると説明する。島田寛基《ひろき》最高経営責任者（CEO、27）は「天職は偶然出会えるのではなく、AIの技術を使って必然に変えたい」と語る。

メール文面で健康状態をチェック

ネット上に公開された個人データを、自社の従業員のチェックに使う動きも出ている。風評被害対策を手がける「ソルナ」（東京）は18年4月、採用や昇進時などに使うサービスを始めた。

企業から提供された履歴書を使い、名前だけでなく出身地や卒業校、添付された顔写真などから、AIがネット上の情報を収集。検索件数が増えたことで精度は上がっているという。

19年1月までに同社が経歴を調べた7386人のうち、約2割に当たる1386人に犯罪歴や、中退を卒業と偽る学歴詐称などの「問題」が見つかった。「問題」とは言えないものの、政治思想なども提供される。

従業員が勤め先での行き過ぎた悪ふざけや犯罪行為をネット上に投稿する「バカッター」行為で、企業イメージを大きく損なう例は少なくない。かつて千葉県警でサイバー捜査に携わっていた同社の森雅人代表補佐(40)は「問題を起こすリスクのある人物を事前に見つけられるのなら、企業も対処のしようがある」と話す。

公開情報の枠を越えて、企業に眠っていた大量の個人データを「宝の山」とみなすサービスも現れた。

社員の勤怠実績や、取引先や同僚とのメールのやり取り、勤務中の顔の表情までもAIに分析させて、仕事の能力を引き出そうとする会社がある。「エクサウィザーズ」(東京)だ。

メールで使われた単語の頻度や文面の長短、返信のタイミングなどをAIで分析。社員の心身の健康状態やモチベーションを測る。文章が淡泊で返信が遅ければ、退職に向けた兆候かもしれない、といった具合だ。

すでに提供している人事配置のサービスでは部署ごとに、これまで活躍してきた人の傾向を業務実績や人事考課など数百にも及ぶ項目から算出。ＡＩが各従業員との相性を分析し、配置案を自動的に作り出す。

厚生労働省の労働政策審議会の部会で委員も務める石山洸《こう》社長（37）は「国内は働き手が足りない上に、労働生産性も主要7カ国で最低。テクノロジーを使って生産性を上げられないかと考えた」と説明する。

人間は過去の通り生きるわけではない

ＡＩに個人データを分析させて人事や採用に使うことは、どこまで許されるのか。

複数の個人データを組み合わせて、その人の傾向を機械的につかむ手法は「プロファイリング」と呼ばれる。世界一厳しい個人情報保護法令とも言われ、欧州連合（ＥＵ）が18年施行した「一般データ保護規則」（ＧＤＰＲ）では、プロファイリングを根拠とした取り扱いに異議を申し立てる権利を定めている。米カリフォルニア州で20年に施行される消費者個人情報保護法でも、プロファイリングのために収集された消費志向や性格などの情報は、消費者が開示や削除を申し立てる権利を認めている。

一方、日本では個人情報保護委が「技術の進歩が速い中、新たなサービスを導入する企業は事前に法令に適合しているか検討する必要がある」（担当者）とするものの、個人情報保護法にはプロファイリングの規定はなく、取り扱いは明確でない。

たとえ公開データであっても情報をつなぎ合わせることで、表面上では見えない政治信条や病気の有無といったセンシティブな側面が分かってしまうことも考えられる。慶応大の山本龍彦教授（憲法）は「使い方次第では、プライバシー権を侵害する可能性がある」と指摘する。

一定の歯止めをかけようと、リクルートキャリアやメルカリなど約80社が加盟する一般社団法人「ピープルアナリティクス&ＨＲ《エイチアール》テクノロジー協会」は、ＡＩで個人データを収集・分析するときのガイドラインをつくる方針だ。

ガイドラインでは、企業側が利用目的を明らかにすることや、評価される側にとってもどんなメリットがあるのかを説明するよう促す内容になるという。さらに、人事データを適切に取り扱ったり、分析できたりする専門家を育てるための資格制度の創設もめざす。

「人事分野はデータの活用が遅れていた分、試行錯誤の状態。ＡＩは過去の結果に縛られる。よく検討せずにＡＩを使うと、行き過ぎたプロファイリングにつながる恐れがある。各企業には、ガイドラインを通して規律を認識してもらいたいと考えている」。同協会の加藤茂博・副代表理事はこう訴える。

選手の成績という個人データを組織強化に使ってきた先駆けがスポーツ界だ。その試行錯誤をみると、プライバシー対策以外にも、思いを寄せるべきことがあることに気づく。

12年のロンドン五輪で、女子バレーボールの日本代表は28年ぶりの銅メダルに輝いた。真鍋政義監督（当時）がタイムアウト中、iPad《アイパッド》を手に指示を出す姿が印象的だった。

iPadには、目の前で進む試合のデータが即時に入ってきた。アタックの成功率やセッターの配球率などを分析することで「人間では気づかなかったパターンが見えてきた」と真鍋さんは話す。

2年後には、独ソフトウェア大手SAPのAIを活用した分析も導入。コートを45分割して分析をさらに細かく進化させた。相手のセッターはどこにトスを上げる確率が高いのか。その癖すら見抜けるようになった。

しかし、16年のリオ五輪では結局、プレーの予測にAIは使われなかった。

なぜか。

日本バレーボール協会のアナリストだった渡辺啓太さんは「予測が70％当たる局面もあれば、20％のときもある。外れたときに『なぜ』が見えない。それが精神面で選手の負担になると考えた」と打ち明ける。

データからは傾向を分析できても、選手は過去のデータ通りに動くわけではない。日々成長する選手たちが将来、活躍するかどうかを予測するのは難しい。予想もできなかった大活躍で、試合の流れを一変させる選手が現れることも少なくない。

真鍋さんはロンドン五輪の試合中でさえ、あえてｉＰａｄを置くこともあった。「そういうときはただ『おまえならできる』と送り出せばいいんです」

論点⑤　医師とAI、どちらの診断を信じるか

人工知能（ＡＩ）が、臓器移植前の患者の余命をも予測する。医師だけで判断するこれまでの常識は変わりつつある。最後に決めるのは医師か、それともＡＩなのか。境界はあいまいになるかもしれない。

AIが最適な移植患者かを解析

50歳男性。身長１７８センチ、体重80キロ。心臓病を患い、補助循環装置をつけている。

心臓移植を受けなければ3年後の生存率は「15％」。受ければ「69％」――。

サンプルデータからＡＩがはじき出した予測がパソコンの画面に表示された。

心臓移植の臓器提供者が現れたとき、患者や提供者の情報からその患者が本当に最適かを移植施設が判断するためのシステムだ。米カリフォルニア大ロサンゼルス校が開発した。「説明可能なＡＩ」という。３カ月～10年後の生存率をＡＩが予測し、提供された臓器を最も効果的に生かせる組み合わせを示す。

同校付属病院は、過去30年間の臓器移植手術の件数が全米で2番目の規模だ。病院の駐車場には州外ナンバーの車がずらりと並び、年間38万人以上のさまざまな患者が全米、世界中から集まる。18年、ＡＩを使ったシステムの運用を実験的に始めた。

ＡＩは、「全米臓器分配ネットワーク（ＵＮＯＳ）」が移植を受けた患者やそうでない患者、臓器提供者から15年までの30年間に集めた約10万人分のデータなどから学習した。

生存率は瞬時にはじき出される。システムに患者の年齢や身長、体重といった基本的な情報のほか、糖尿病や人工心臓の装着の有無、さらには提供者の情報など53項目を、医師が入力するだけだ。ＵＮＯＳが決めた臓器待ちリストの優先度より高くなる人もいれば、低くなってしまう人もいる。

過去のデータを使って確認したところ、移植後実際に3年間生存した1万7441人のうち、AI以前のやり方に比べて242人（14％）多く生存者を予測することができたという。

開発チームの一人、ミハエラ・バンデルシャール教授（47）は「限られた臓器をどの患者に移植すべきなのか、高い確率で特定することができる」と話す。

これまでは、移植を待つ人が高齢になるほど機会が得にくくなるのが一般的な傾向だった。患者と提供者のデータをAIが複合的に解析することで「年齢にかかわらず幅広い人たちに移植の機会を与えられる」（バンデルシャール教授）という。心臓だけでなく肺移植にも使えないかと研究も始まった。

AIが提示した予測は絶対的なものなのか。「AI自体が判断を下すのではない。医師がよりよい判断を下すための情報に過ぎない」。バンデルシャール教授は、あくまで判断するのは医師だと強調する。

日本では、移植患者の選定に「AIが使われている事例は把握していない」（厚生労働省）。心臓移植で国内有数の実績を誇る東京大医学部付属病院の小野稔教授（心臓外科）は「日本は移植実績が少なくAIに使うデータとしては未熟だ。現状では、医師や各病院の

AIで最適な心臓移植の患者を決めるしくみ

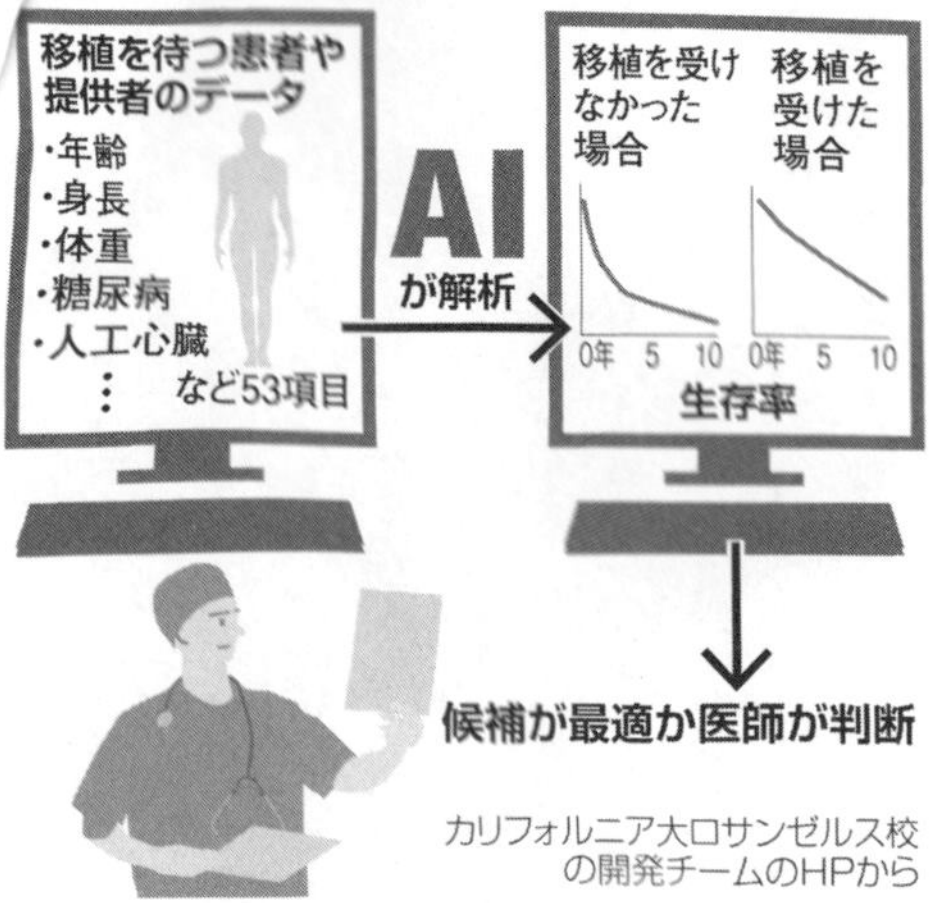

カリフォルニア大ロサンゼルス校の開発チームのHPから

経験に基づかざるを得ない」と説明する。

「米国ほど移植件数が多くなれば、科学的根拠の面からしても（ＡＩなどの活用が）ベターになる」と、日本で今後、提供者が増えることを想定して、どんな指標が必要になるか検討していくという。

一方、肝臓移植ではＡＩは用いられていないものの、患者の状態や提供者の年齢、臓器の大きさなどのデータから、移植手術後に入院中の死亡率を予測するモデルが開発されている。腎臓移植でも検討されている。日本臓器移植ネットワークの芦刈淳太郎レシピエント選定グループ長は「従来、医師の経験や勘に頼っていたものを目に見えるプログラムにすれい、普遍的な指標になる」と話す。

患者側の心情は複雑だ。東京都内に住む30代の男性は重度の心不全で、14年頃から心臓移植を待っている。「医師と信頼関係があるのに、ＡＩが介在することに抵抗がある。候補に挙がりつつ移植が受けられなかったときに、納得できる説明を受けられるのか」と疑問を示す。臓器移植を啓発する団体「トリオ・ジャパン」の渡辺直道さん（75）は、１９９５年に妻がドイツで肝臓移植を受けた経験がある。「機械が人間の寿命を決めることに抵抗がある。医師は、ＡＩが導き出した結論から自立して判断できるのか、心配だ」

98％の胃がんを見つける

０・02秒——。

ＡＩが一瞬にして、胃カメラのモニターに四角いマーキングを示した。胃がんの疑いのある場所で、その確率も「90・８％」と自動ではじきだした。

ＡＩによる画像認識技術の精度は「すでに人の目を超えた」とさえいわれる。医療分野ではとりわけ、内視鏡やＭＲＩ、ＣＴといった画像から、がんや脳動脈瘤《のうどうみゃくりゅう》などを探し出す技術が急速に進んでいる。大量の画像データから特徴を見つけ出し、自ら学ぶ深層学習

（ディープラーニング）と相性がいいからだ。

内視鏡ＡＩを開発するＡＩメディカルサービス（東京・池袋）の多田智裕最高経営責任者（ＣＥＯ、47）の願いはこうだ。

「がんの見逃しをなくしたい」

自らも胃腸・肛門《こうもん》科の専門医だ。自治体の胃がん検診では、内視鏡で撮影した画像からの見逃しを防ぐため、診療が終わった後の時間外に別の医師が再チェックする。精密な画像が可能になった最近は、撮影する枚数が09年頃の３倍ほどに増えたといい、医師らの負担は増す一方だった。そんなとき、ＡＩ研究で有名な東京大の松尾豊特任准教授に出会う。医師でありながら、起業するきっかけになった。

17年の会社設立以来、40万枚もの内視鏡画像をＡＩに学ばせた。静止画での検出率は６ミリ以上の胃がんで98％、動画でも94％の成果が出たという。医師を支援するための医療機器として21年の実用化をめざす。

がんの画像や診断内容を同社に提供しているがん研有明病院（東京都江東区）の平沢俊明・消化器内科副部長（45）は、経験が少ない若手医師をＡＩがサポートするのを期待する。

画像から胃がんを見つけるのは難しく、医師の経験に左右されるとされる。とりわけ胃炎と早期がんの見極めには「職人技」が求められるという。

「内視鏡医を1人育てるのに10年かかる。AIは未熟な医者を一気に熟練医のレベルに引き上げてくれる可能性を秘めている」

くも膜下出血などの原因になる脳動脈瘤をAIが検出する技術は、医療機器としての承認審査までできている。医療機器で競合するオリンパス、富士フイルム、キヤノンメディカルシステムズの3社がそろって出資するエルピクセル（東京）が手がける。島原佑基社長（31）が「ライバル関係にある3社が出資する会社はないと思う」と語るほど、業界からの注目度は高い。

米国では、医師の補助をするにとどまらないAIも登場している。米食品医薬品局（FDA）は18年4月、医師を介さずにAIが自動で画像診断するソフトウェアを承認した。初期医療で、失明につながる糖尿病性網膜症の兆候を、眼底カメラの画像から判定する。

慶応大の宮田裕章教授（40）＝医療政策＝は「世界の常識をぶち破った。医師だけを前提とする考えが、世界では変わりつつある」と話す。

ＡＩを使わなければ訴えられる？

厚労省は18年12月、医師が診断や治療でＡＩを使うにあたって、初めての見解を示した。「医師はその最終的な判断の責任を負う」として、主体はあくまで医師だと強調した。

きっかけは17年、ＡＩ活用を進めるための厚労省の有識者懇談会で「ＡＩを使って誤診した場合の責任の所在はどうなるのか」と疑問が投げかけられたことだった。

同省医事課の担当者は、「現時点では支援ツールにすぎず、ＡＩが自律して診断するものはない」と考えたという。ただ、ＡＩの技術は加速度的に進んでいる。将来については「いまの段階では見通せない」との立場だ。

「ＡＩに対して不安を抱いている医師は多い」と、日本医師会の羽鳥裕常任理事（70）は打ち明ける。精度の高いＡＩが普及した場合、医師がＡＩを使わなかったとの理由で「病気の見逃しにつながった」などと訴えられるケースが想定されるからだ。

厚労省は見解を示すにあたり、東京大医科学研究所付属病院の横山和明助教（42）＝血液腫瘍《しゅよう》内科＝らが書いた報告書を参考にした。国内のＡＩを使った診療支援を調査したものだ。自らも米ＩＢＭのＡＩ「ワトソン」を使って、特殊な白血病の患者から遺伝子変異を特定し、治療法を変えて改善させた実績がある。

横山氏に「最終判断するのは医師か、AIか」と尋ねると、こう返ってきた。「将来、判断の主体がAIに置き換わることは十分に考えられる。最後に医師が確認するだけみたいに。人とAIの役割分担が細分化されていけば、責任のあり方も変わっていくだろう。議論は続けていくべきだ」

論点⑥ 病気も「自己責任」になるか

血圧や運動量といった情報をリアルタイムに集めて人工知能（AI）が解析、治療に役立てる。そんな新しい医療をめざす実験が進行中だ。社会保障のしくみを変える可能性もある。

1千万人に1千万通りの治療を

東京都内のIT企業でシステム開発を担う森田孝之さん（40）は18年頃から、スマートフォン上の七福神と「対話」するのが日課だ。「たくさん歩いておる。とてもうれしいぞ」。

恵比寿様はこんなふうに褒めてくれる。

16年頃に突然、体調が悪化した。大量の汗をかく。集中力を失い、仕事のミスが続く。病院を受診すると糖尿病と診断され、検査などのため数週間、入院することになった。

働き始めたころ、世はITバブルに沸いていた。「月300時間労働というのは普通だった。400時間を超えた月もありました」。森田さんは振り返る。「仕事場に何日も泊まり込み、椅子を並べて寝る。食生活なんてメチャクチャ」で、数年後には病気で休職に追い込まれた。今回、糖尿病になった原因は不明だが、「たまっていたものが出た」気がする。

森田さんは今、ウェアラブル端末を常に携帯し、歩数など活動量を記録。体組成計などで毎日測る体重や血圧といったデータや、食事内容の情報もスマホに集約し、病院につながるコンピューターに送っている。

森田さんが参加するのは、政府が資金を出し、国立国際医療研究センターが主導する大規模な臨床研究だ。1千人を超える糖尿病患者が1年かそれ以上にわたりデータを送り続ける。3年にわたる研究で学術的に質の高いデータを積み上げ、22年に糖尿病の標準的な治療法として位置づけることをめざす。

ウェアラブル端末を治療に活用する実験自体は世界でも珍しくないが、対象が数十人程度、期間も数カ月と短いものが多かった。

ウェアラブル端末は「飽きられやすい」という欠点があり「半年で半分が使用をやめるのが相場」と、研究代表を務める同センターの植木浩二郎医師はいう。そこでスマホのアプリを工夫。歩数は恵比寿様、体重は布袋尊など項目ごとに「担当」の七福神が登場し、患者を日々励ましたり、アドバイスしたりしてくれる。

集めた情報は主治医が見る。月1回程度の診療では把握しきれない患者の生活ぶりを知り、治療に活用してもらう。糖尿病は一度なっても、薬などで治療を受けながら食事や運動などの生活習慣を自己管理すれば重症化を防げる可能性が高いが、自覚症状の薄さから約4割の患者が治療を中断してしまう。治療も薬だけだと効果は限られ、日々の運動や食生活の管理がカギを握るので、患者を励まし意欲を維持するのにアプリがどのくらい役立つかも重要なテーマだ。

この研究を踏まえ、日本糖尿病学会などは将来、個々の患者ごとに精密な治療方法を示すことをめざす。生活習慣の変化や治療の効果、患者の遺伝子情報などを取り込んでビッグデータ化し、ＡＩに学習させて診断のアルゴリズム（計算方法）を開発する方針だ。

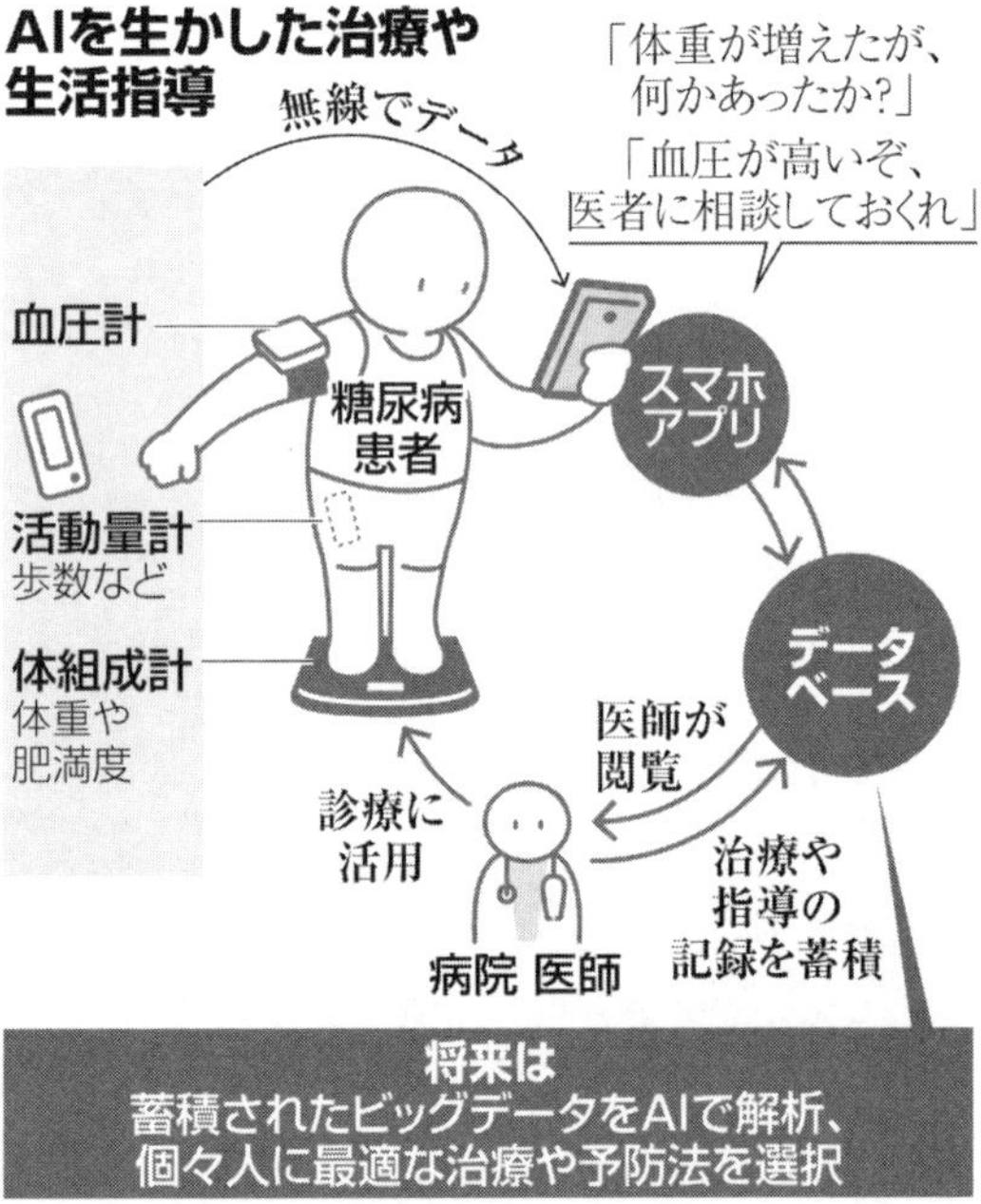

日本で糖尿病患者は1千万人。予備群を含めれば2千万人いると推計される。糖尿病が原因で腎臓の機能を失い、人工透析が必要になる人も年約1万6千人。人工透析は患者本人の生活に強い制限がかかるだけでなく、医療費も1人当たり年約500万円と高額になるため、政府は重症化予防に力を入れている。

森田さんの主治医で、研究への参加者を集めるため全国で150回の説明会を開いた同センターの坊内良太郎医師は「将来、1千万人の患者に1千万通りの最適な治療を提供できるようにしたい」と意気込む。

「ヘルスケア」産業の振興がねらい

この臨床研究は医療分野でありながら、厚生労働省の所管ではない。経済産業省が3年で約24億円の予算を投じて進める事業の一環だ。

めざすのは、AIを活用して健康・医療情報を解析し、予防や健康関連といった「ヘルスケア産業」を育てること。それには、企業が提供するヘルスケア関連のモノやサービスが利用者の健康にどのように貢献しているかを評価するしくみが欠かせないという。同省の西川和見ヘルスケア産業課長は「あやしい商品やサービスが市場を壊さないように、費用対効果を検証する必要がある」と指摘する。

検討されているのが、ヘルスケア関連のサービスを受けた消費者が支払った金額や回数などの購買データと、健康や医療のデータをつなげて関係性をAIに解析させるアイデアだ。

「AIにビッグデータを解析させることで、その関係性がたどれるようになる。ネットで広告を見たお客さんが、キャッシュレスで支払いをしたら、広告と売り上げとの関係性が見えやすくなるのと同じことです」

経産省の事業でデータ解析とアルゴリズム開発を担当する産業技術総合研究所の本村陽一・人工知能研究センター首席研究員はこう説明する。

データは匿名加工されるとはいえ、ちょっと怖くないですか？　記者のそんな質問に本村さんはこう答えた。「何が怖いかはっきりすれば、対応できます。落ちるから怖い飛行機は、落ちないようにすればいいのと同じです」

健康情報を生かした商品開発が進んでいる業界がすでにある。生命保険だ。

1日平均8千歩以上歩くと達成状況に応じて保険料の一部を還付する「あるく保険」を17年、東京海上日動あんしん生命保険が発売。住友生命保険が18年、保険商品に組み込み始めた健康増進プログラム「バイタリティ」は、検診を受けたりスポーツイベントに参加したりするなど加入者の健康への取り組みをポイント化し、保険料を増減させるしくみだ。南アフリカの企業が開発し、世界19の国・地域で採用されている。

向かう先は暗黒の監視社会でないのか

国民全体をカバーする公的医療保険がない米国は、医療・健康分野での「ビジネス」の存在感がもともと強い。

18年2月、ウェストバージニア州の公立校教員たちが待遇改善などを訴えてストライキに打って出た。日本では同年11月に公開されたマイケル・ムーア監督の映画『華氏119』にも取り上げられたこのストライキ。教員たちの不満の一つが健康保険について、ウエアラブル端末やアプリを使った健康プログラムに「不参加なら1年で500ドル（約5万5千円）のペナルティー」を科す形で、加入を事実上強制したことだった。

「センシティブな個人情報の提出を強いられるのはプライバシーの侵害だと感じた」。教員の一人は米紙の取材に語っている。

「健康増進への取り組み」が強制色を帯びる兆候は日本にもある。

19年4月、都内で開かれたシンポジウム。政府の経済財政諮問会議の民間議員を同年1月まで6年間務めた高橋進・日本総研名誉理事長はこう話した。「（健康増進に）お金を使った人が健康になり、出し惜しみした人が不健康になったとして、努力した人と努力しない人が同じ保険料でいいのかどうか。その議論はこれからしなくちゃいけない」

自民党の厚生労働部会長を務める小泉進次郎衆院議員らは16年に「健康ゴールド免許」

の創設を提言した。「健康維持に取り組んできた方が病気になった場合、治療の自己負担を低くして、自助を促す」ためと説明した。麻生太郎財務相も18年10月、「『自分で飲み倒して、運動も全然しねえで、糖尿も全然無視している人の医療費を、健康に努力しているオレが払うのはあほらしい、やってられん』と言った先輩がいた。いいこと言うなと思って聞いていた」と、他人の発言を引きながら語っている。

AIは医療・健康分野で社会をどう変え得るのか？ 米国のデータサイエンティストで『あなたを支配し、社会を破壊する、AI・ビッグデータの罠《わな》』の著者、キャシー・オニールさんは、公的な医療保障のあり方をめぐってこんな未来予測を披露してくれた。

街頭の監視カメラや、クレジットカードの購入履歴で人々の行動を追う。喫煙によって肺がんになるリスクがどれだけ高まるか個人単位で予測する。この二つのデータを組み合わせ、「肺がんになるリスクが高いのにたばこを吸い続けていた人は、手術を受ける権利を失う」というルールがつくられる。社会保障の支援が受けられるかどうかは「正しく行動」してきたかで決まる――。

データとAIがそんなしくみをも可能にする時代に、私たちは入っている。

論点⑦ 日本はＡＩ人材を確保できるか

急速に進化を遂げる人工知能（ＡＩ）分野では、研究、実用化する人材の獲得競争も激しさを増している。産業への応用や開発面で「周回遅れ」とされる日本にとっても、ＡＩ人材の確保は大きな課題になる。

ＡＩの街トロントは30年にして成る

北米・五大湖の北岸にあるカナダ・トロントは、高層ビルやマンションの建設ラッシュに沸く。かつてともに世界的な大工業地帯を形成した南岸の米側が、工場の国外移転などで「ラストベルト（さびついた地域）」に変わり果てたのとは対照的だ。その背景に、ＡＩの存在がある。

「北のシリコンバレー」とも呼ばれるトロントの原動力は、ＡＩの研究開発に携わるために世界から集まる有能な人材だ。オンタリオ州立のトロント大が中心になって牽引《けんいん》する。同大の真新しい近代的な建物に18年、富士通が研究拠点を作った。日本企業では唯一という。ポーランドやトルコから来た学生と日本人技術者ら約40人が一緒にパソコンを並べ、多くの選択肢から最適な解を高速で探すデジタル回路の実用化をめざす。「工学や理学、さらには医学や金融学など垣根を越えて、AI技術を応用できる環境がある」（担当者）という。

産官学の強い結びつきを象徴する建物がトロント大の敷地内にある。05年に設立した「MaRS《マーズ》」だ。約120社が集まり、スタートアップ企業を支援し、投資家や大手企業をつなぐ架け橋になっている。

「トロントにはAIの優秀な学生が集まる。大学と企業がすぐに連携できるのが強みだ」。富士通と共同研究し、同大でコンピューター科学を教えるアリ・シェイコレスラミ教授(52)はそう話す。

その理由の一つが、米国の約半分の授業料でAI分野が学べること。16年以降はトランプ米大統領の排外政策の余波もあり、中東や中国を中心に外国人志望者が約8割増えた。学生が集まれば企業も群がる。市内には米グーグルやライドシェアのウーバー・テクノロジーズなどが相次いで研究拠点を構える。米国よりもともと法人税が安いうえに、AI研究には法人税が控除される。市周辺には1万5千社を超えるAI関連企業がひしめく。

ＡＩによるトロントの劇的な変貌《へんぼう》は、一朝一夕で成し遂げられたものではなかった。１９８３年、同大は米国で教壇に立っていたジェフリー・ヒントン教授（71）を招聘《しょうへい》した。大量のデータから特徴を見つけ出し、自ら学ぶ深層学習（ディープラーニング）を研究し、今につながる第３次ＡＩブームの火つけ役になった大物学者だ。畏敬《いけい》を込めた「ゴッドファーザー」との愛称をもつ。

軍事転用を条件にしていた米国の研究環境に嫌気がさしていたヒントン教授に、大学は自由な環境を与えた。

「当初は誰も彼の研究を理解していなかった。でも可能性に賭けた」。同市への企業誘致を担う政府系ＮＰＯ「トロント・グローバル」のトビー・レノックス最高経営責任者（ＣＥＯ、57）は振り返る。第２次ブームが下火になった90年代以降も、政府がぶれずにＡＩ研究に投資を続けた。

いまヒントン教授はグーグルのＡＩ研究所にもかかわり、多くの門下生をフェイスブックやアップルといった巨大ＩＴ企業に送り出す。

「カナダは製造業と天然資源に頼ってきた。でも、いずれ先細りになるし、人口も多くはない。人を呼び込み、国の経済成長につなげたい。その答えがＡＩだった」。レノックス

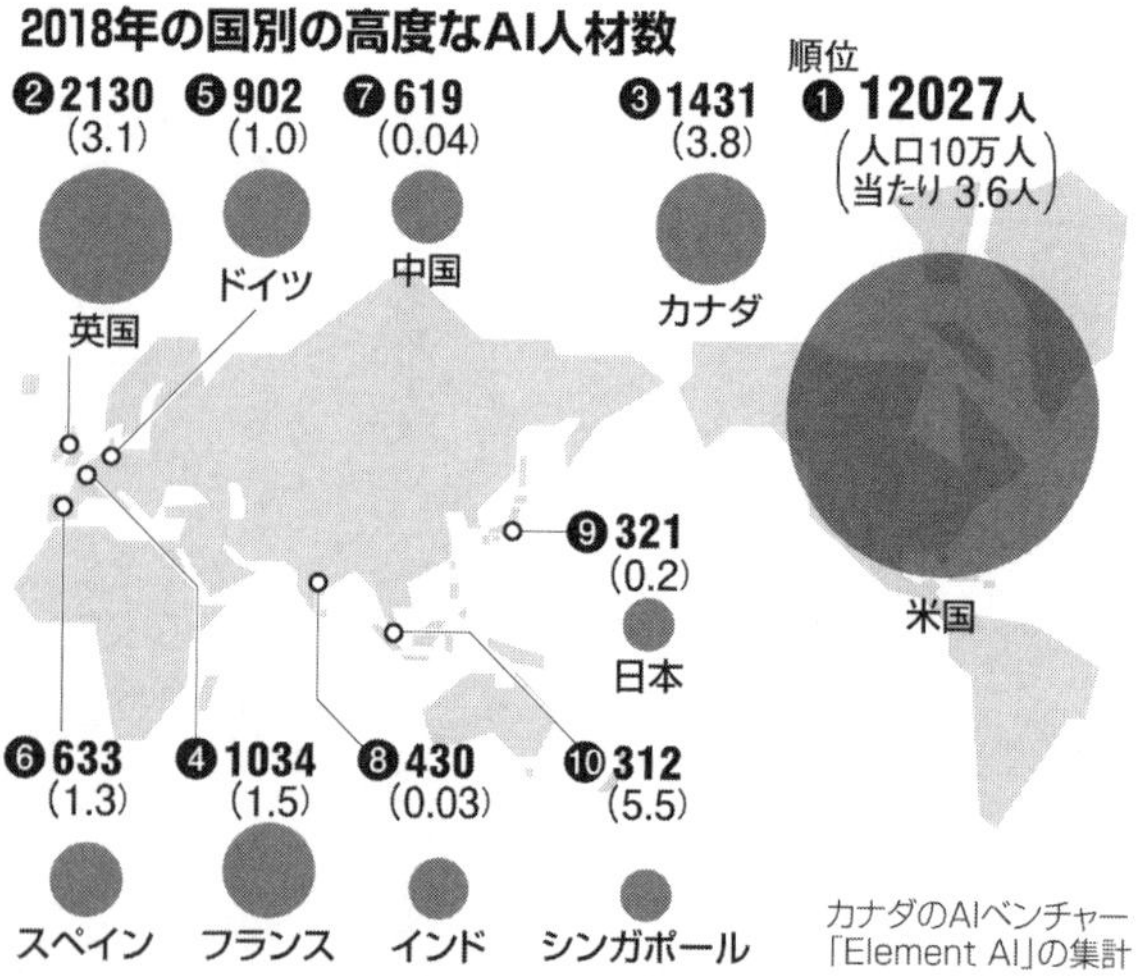

カナダのAIベンチャー「Element AI」の集計

氏はこう説明する。

今後も州政府は5年間で3千万カナダドル（約25億円）を投じ、ＡＩ関連の修士号を州内で取得する学生を２０２３年までに年間1千人に増やす計画だ。さらに連邦政府は9億5千万カナダドルを大学や研究機関に投資することで、5万人以上の雇用をつくるという。

効果は着実に表れている。カナダのＡＩ企業が英語圏のＳＮＳや国際会議のデータを分析した調査によると、高度なＡＩ人材の国別数は18年、米国が断トツだが、3位のカナダも人口（３７００万人）比で考えれば米国を上回る。

30年を超える長期戦略が、カナダをＡＩ

大国に押し上げた。

圧倒的に人材が不足する日本

一方、高度なＡＩ人材の数で9位、人口比では米加の10分の1に満たない日本も、ようやく動き始めた。

19年3月、政府が公表したＡＩ戦略の有識者提案は、ＡＩを使いこなす人材を年25万人育てる目標を掲げた。前年末の時点では十数万人で検討されていたが、大きく引き上げられた。欧米や中国に比べて「圧倒的にＡＩ人材が不足している」（内閣府）との危機意識からだという。

しかし25万人という規模は、年間の大卒生の半分近くになる。理工系や医学部などの約18万人全員に、文系の18％に当たる約7万人も加えて算出した。肝心の政府内からさえ「実現できるか分からない」との声が聞かれる。

「ＡＩには何度かブームがあったのに、日本は生かしてこなかった」

有識者提案をとりまとめた安西祐一郎・日本学術振興会顧問（72）は自省を込めてこう話す。世界に比べて出遅れたことが、突然の「高い目標」に表れたことをうかがわせる。

安西氏自身、慶応義塾長を務めた経験があり、情報科学の専門家だ。30年ほど前、第2次ＡＩブームは過ぎ去って「冬の時代」に入っていたころ、当時もはや過去の言葉だった「人工知能」と自身の略歴には書けなかったと振り返る。「そういう中でも粘り強く頑張ったヒントン教授は偉いよね」と安西氏。

それだけに、今回の提案を通して「ＡＩ人材のすそ野を広げるための教育改革につなげたい」と言う。新しい時代の「読み・書き・そろばん」として、「数理・データサイエンス・ＡＩ」を基礎知識に位置づけることを狙う。

安倍晋三首相は19年4月、首相官邸で開かれた会議でＡＩ戦略の早急なとりまとめを指示。「子どもたちの誰もがＡＩのリテラシーを身につけられる環境を提供する」と語った。同じ月に大学側と採用活動の改革で合意した経団連は、ＡＩ分野で高い力を持つ学生を通年採用の対象にすると表明。ＡＩ分野の学部新設の推進なども政府に提言している。

しかし、ＡＩを教えられる教員をどう確保するのかなど、具体的な道筋は見えていない。産業界の現場ではすでに、ＡＩ人材不足の弊害が現れ始めている。

かつて世界を席巻しながら、最近は欧米勢に追いつかれ気味とも言われるゲーム業界も例外ではない。

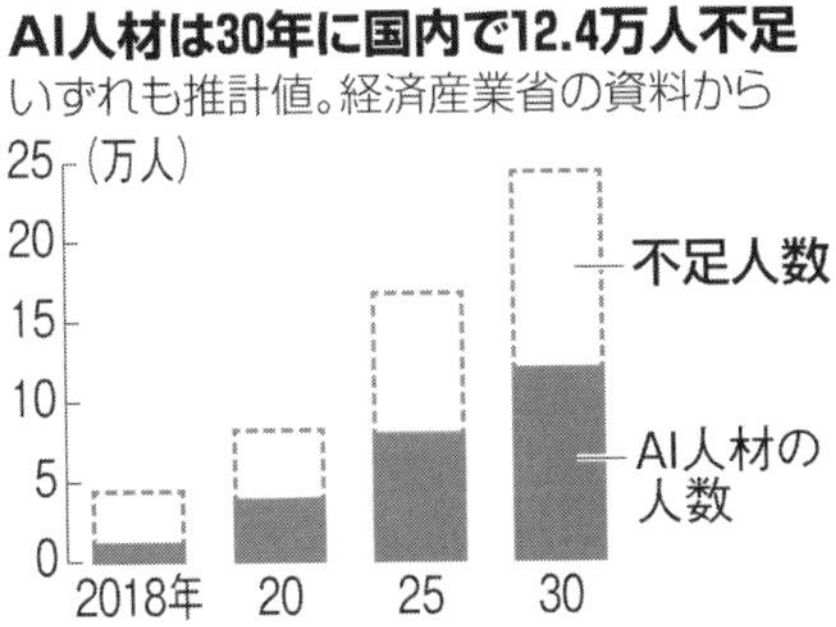

いずれも推計値。経済産業省の資料から

「日本の優秀な人材を見つけるのは難しい。人が育たないことがゲーム業界を失速させている」。スクウェア・エニックスの三宅陽一郎リードＡＩリサーチャー（43）は断言する。

三宅氏のチームには10人のＡＩ技術者がいるが、うち4人が米国やフランスなどの外国籍だ。最近までドイツ人やアイスランド人もいた。

今やゲームキャラクターの頭脳も、目的地までの経路の計算も、ゲームを面白く演出するのも、ＡＩなしでは成り立たない。直面しているのは、完成したゲームに欠陥がないかを人に代わってテストしてくれるＡＩの開発だ。「超難題」とされる。ゲームには3次元カメラが使われ、操作も複雑になったため、人に頼った作業では開発費を圧迫するのだという。

自社でＡＩ人材を育成すべく、三宅氏は8年近く、社内向けのセミナーを毎週のように開いてきた。19年3月中旬、249回目のテーマは「格闘ゲームとＡＩ」だった。同社の一室にゲーム開発者ら約20人が集まり、専門知識を社員と共有した。全体の底上げを図ろうとする模索が、現場で続く。

しかし、トロントのレノックス氏は日本企業の本気度に疑問を感じている。これまで3度、日系企業の誘致で訪日したが「大企業の反応は鈍い。トロントには、こんなに優秀な人材が集まっているのに」。一方で中国勢は、通信機器大手の華為技術（ファーウェイ）がカナダのＡＩ研究者を200人追加することを打ち出した。判断のスピードや規模の差は圧倒的だ。

金融、流通……広がる活躍分野

ＡＩ人材は国内でも争奪戦になっている。

リクルートキャリアによると、企業が18年に募集したＡＩ関連の中途採用は5年前の約60倍。採用が決まった人数も約28倍に増えた。この2年で拍車がかかったという。

職種も、かつては自動車や家電といった製造業やＩＴ関連企業などが中心だったが、最近は金融や流通、消費財などあらゆる分野に広がる。

同社の転職サイト「リクナビＮＥＸＴ」の藤井薫編集長（53）は「魅力的な報酬や活躍できる環境を約束できるのか、採用する企業側の本気度が試されている。この傾向はしばらく続くだろう」と指摘する。

経済産業省が19年4月にまとめた試算では、ＡＩ人材は30年時点で12万4千人、不足するという。16年調査ではＩＴ人材の平均年収は、日本は598万円で、米国の1157万円とは2倍近くの開きがあった。

人材面で不安を抱える日本が後れを取るのは北米だけではない。米国人工知能学会に17年に投稿された論文数の最多は中国の31％。日本は4％だ。

日本は製造業に依存する体質から抜け出せず、デジタル社会に見合った新分野も育っていない。場当たり的な対応を続けるままならＡＩ革命の波に乗り遅れ、産業構造の転換にも失敗しかねない。

論点⑧　これからの教育
――人間に求められる知的能力とは

人工知能（AI）が身近になる時代、子どもたちに必要な教育とは、コンピューターのプログラミングなのか。それとも――。

AIが進んだ社会で子どもに役立つものを

「開発タイム、スタート！」

メンターと呼ばれる大学生らの一声で、小学生が一斉にパソコンに向かった。19年5月中旬の土曜日、東京・渋谷駅近くのテックキッズスクールには、小学2〜6年の約100人が参加した。コンピューターを動かすプログラミングを学ぶ教室で、ゲームやアプリづくりに取り組んだ。

最初は米マサチューセッツ工科大が開発した「スクラッチ」と呼ばれるソフトを使い、ゲームをつくるなどして基礎を学ぶ。高学年は、iPhone《アイフォーン》向けのアプリや3Dゲーム

20年度の小学校での必修化を機に
拡大するプログラミング教育市場

船井総合研究所とGMOメディアの調査から

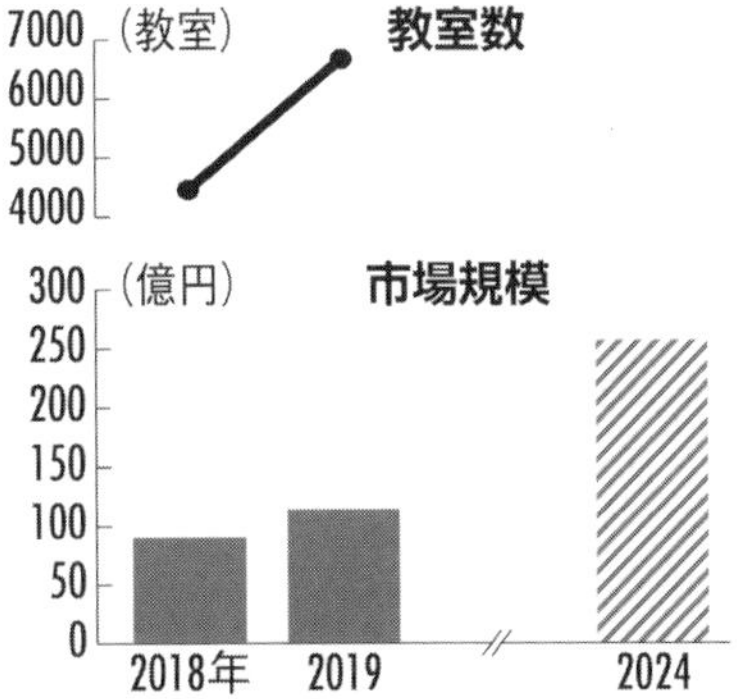

異業種からの参入が相次いでいる

ヤマダ電機	2016年12月に開設。27都道府県に57教室。小学1年生から中学3年生まで対象
サツドラホールディングス	子会社が札幌と函館に3教室。2022年までに北海道にFC合わせ150教室をめざす
阪神電気鉄道	読売テレビ放送などと組み、子会社を通じ関西と首都圏に37教室。約3700人在籍
JR東日本グループ	子会社を通じ阪神電鉄の子会社などとFC契約を結び、都内で4教室を運営
名古屋鉄道	学童保育や英会話教室を運営するグループ会社が名古屋市内に5教室を開設

の開発に挑戦する。ＩＴ大手サイバーエージェントの子会社が首都圏をはじめ26教室を展開し、小学生約１５００人が通う。

小６の長男を渋谷の教室に連れてきた東京都国立市の会社員、吉兼哲哉さん（50）は「ＡＩやキャッシュレスなどデジタル化が進む社会に出たとき、子どもに役に立つものを学ばせたい」と話す。誠将君（12）は「プログラマーか電車の運転士になるのが夢。人を笑顔にできるゲームや、人の役に立つアプリをつくりたい」。

船井総合研究所とＧＭＯメディアの調査によると、13年には約７５０カ所だったプログラミング教室は18年１月に４４５７カ所に増え、19年に入り前年の１・５倍の６６６６カ所に急増した。少子化に直面する教育市場で珍しい成長分野とあって、教育やＩＴ業界以外にも異業種の参入が相次ぐ。市場規模は19年の１１４億円が、24年に２・３倍の２５７億円に拡大。30年には１千億円を超え、現在の英会話教室の市場に肩を並べるともいわれる。

模型で有名なタミヤは、システム会社と協力し、全国94教室を展開する。ヤマダ電機や名古屋鉄道、阪神電気鉄道も参入する。阪神電鉄の子会社などと組み、東京都内などで9教室を展開する東京メトロは「少子高齢化で路線人口も減る。鉄道以外の事業を育てていきたい」と説明する。家電量販のエディオンは全国200教室、ドラッグストアのサツドラホールディングスは地元の北海道で150教室をつくる計画だ。

教室の運営には、学習塾や地元企業などとフランチャイズ（FC）契約を結ぶケースが多い。だが、競争の激化で1教室当たりの生徒数は減り、利益率が早くも下がる傾向にある。

それでも、「年間営業利益1千万円？」「手つかずの市場は早い者勝ち！」と教育の質より稼ぎをアピールし、契約先を集める広告を出す中小の業者も現れた。業界からは「もうバブルだ」との声もあがる。

船井総研の北村拓也さんは「利益が上がらなければ専門知識を持つ講師をそろえることができず、教育の質が落ちる『負のスパイラル』に陥る恐れがある。より競争が激しくなれば淘汰《とうた》が始まる」とみる。

早くも生じる地域間格差

地方では、過熱する都市部とは違う悩みを抱えている。

鹿児島市から南に約470キロ、鹿児島県徳之島町で19年6月の夜、プログラミング教室が開かれた。「みんなで全国コンテストに挑戦しよう」と、メンターの丸山勝司さん(45)が小中学生7人に呼びかけた。

この年の1月に始まった教室は町が運営し、週2回開かれる。最大の悩みは指導者の確保だ。町にはメンター役は2人しかいない。

丸山さんは福岡市出身。NECグループの企業に勤めていた13年、営業で徳之島を初めて訪れた。豊かな自然に触れ、「町の活性化に役立ちたい」と16年に退職して島に移り住んだ。丸山さんに定着してもらおうと、地元の観光連盟は事務局長のポストを用意した。

教室に小学6年生の長男昭洋君(11)を通わせる主婦の黒須さゆりさんは「離島で学べるのは貴重な機会です」と歓迎する。昭洋君は「自分で考えて、ゲームを完成させるのが面白い」と話す。離島にはパソコンのない家庭も少なくない。丸山さんは「コンピューターに慣れ親しみ、プログラミングの知識を持つことはこれからの時代に欠かせない。この教室で培ったノウハウを島の小学校全体に広げたい」と意気込む。

20年度から小学校でプログラミング教育が必修化されるのは、将来AIやIT分野を担える人材のすそ野を広げる狙いがある。文部科学省の調査では、全国の自治体の5割が一部の小学校で先行してプログラミング教育を始めた。しかし、その多くは都市部の大きな市で、町村などの小さな自治体は後れを取っているのが現実だ。

高岡秀規町長（59）は「いろいろな道を子どもたちに選べるようにしてあげるのが行政の役割だ。教育環境の格差は将来、人材としての差につながりかねない」と話す。

AIに負けない「読解力」が先だ

最先端のIT教育よりも、前にすることがもっとあるはずだ――。19年5月、都内であった全国町村教育長会の研究大会で、国立情報学研究所の新井紀子教授（56）が講演した。「AIができることは、人間もまあまあできる。AIができないところほど、人間もできない。このままだとAIと（能力が）かぶってしまい、読み解く力がない子どもたちは、労働市場から追い出される」

数学者の新井教授は、東大入試に合格できる力をAIにつけさせるプロジェクトを主導したことで知られる。11年に始まったプロジェクトは「30年にはホワイトカラーの半数が機械に仕事を奪われる」と、新井教授が予測したのがきっかけだった。

16年には難関私大に「合格可能性80％以上」と模試で判定されるまでになったが、新井教授はプロジェクトから降りる決意をした。

中高生にテストを解かせ、人間の読解力を分析しようとしたところ、その多くが文章の内容を正確に理解していないことに気づいたのだ。

新井教授は、子どもたちが文章や図表の意味をどれだけ早く正確に理解できるかを診断する「リーディングスキルテスト（ＲＳＴ）」をつくり、教師たちと一緒に授業のあり方を考える活動を始めた。

「オセロの実況中継をしよう」。18年10月、東京都板橋区の区立板橋第六小学校で教壇に立った新井教授は、黒板にこう書いた。

「黒玉と白玉が三つずつ、たてに一列にならんでいる」という状況を再現する問題を小学4年生に出した。白玉と黒玉を交互にしたり、三つずつ2列にしたりと、誤って並べる姿が目立った。

この日の授業には板橋区内の小中学校の教員も参加した。新井教授は授業の後、今のままでは中学に進んでも理科の実験ノートがきちんととれない、と教員たちに訴えた。

公立小中74校に都内有数の約3万人が通う板橋区は、児童生徒の学力では都内の平均を下回る。19年度から3年間、小学6年と全中学生計約1万3千人にＲＳＴを年1回受けさせ、その結果をもとに指定した中学1校と小学3校で授業の研究に取り組むことにした。

「子どもたちが活躍する30年の社会を見通し、ＡＩに代替できない力を伸ばしたい」と中川修一教育長（61）は狙いを語る。区内の中学生たちがＲＳＴを試験的に受けたところ、四つの選択肢から答えを選ぶテストの正答率は３割だった。確率でいっても25％は当たるはずだったが、読解力不足を痛感させられた。

読解力が足りなくなった原因について、新井教授はこう考える。「板書を写すのが早い子もいれば遅い子もいる。親切心で先生たちが穴埋め式のプリントをつくると、子どもたちはキーワード以外の部分を読み飛ばすようになる。よかれと思って先生たちがしてきたことが、実は子どもたちの読解力を弱めてきた」

小学校でのプログラミング教育に対して、新井教授は効果に疑問を持つ。算数の意味がわかっていないのに、小学校で教えてもおぼつかない、と。

板橋では、先生たちが「子どもたちは本当にわかっているのか」を少しずつ意識しながら授業をするようになってきた。「子どもたちが安心して生きていける道筋をつけてあげたい。研究者としての私の最後の仕事です」と新井教授。ＲＳＴは京都府や福島県、埼玉県戸田市などでも採用されている。

ＡＩ社会を生き抜く本当の力とは？　教育現場での問い直しが始まっている。

論点⑨ 製造業で起きる新たな「勝者総取り」

人工知能（AI）など先端技術の発展は、ものづくりのあり方も変えていく。機械が自ら通信し、必要な部品を手配する。そんな「未来の工場」の世界標準を占めようと、競争が激しさを増している。

作業員のけが予防もお任せ

ステージ上に、高さ70センチほどの箱形のロボットが現れた。自動車部品大手の独ボッシュが開発した自律型の輸送車両だ。

通信や給電はすべて無線で、ケーブルはない。人間の姿もほとんどない。背後の大型スクリーンにコンピューターグラフィックで描かれた「仲間」たちと何やら通信し、AIの判断で工場内を動き回る。主役は、現実世界とコンピューター上の仮想世界を垣根なく行き来するデータだ。

「これが物流と製造が一つになった、未来の工場の姿です」。プレゼンテーションの進行役が宣言する。

19年4月、ドイツ北部で開かれた世界最大級の産業見本市「ハノーバーメッセ」。おひざもとの独メーカー各社は「つながる工場」や「スマートファクトリー」など、さまざまな言葉で生産現場のデジタル化をアピールした。

大量生産から脱却し、無駄なく細かな需要に対応する。生産設備はすべてセンサーでインターネットに接続し、コンピューター上で管理。熟練工がいなくても、AIが設備の故障を予知し保全する——。そんな「未来の工場」では、AIが「故障」を予防するのは機械だけではない。

工場作業員が肩から太ももに巻くように着けたベルトには、さまざまなセンサーが埋め込まれている。AIが作業する人々の癖や過去のけがの例を分析した結果と照合し、着けた作業員が腰痛を起こしやすい姿勢だと判断すると振動で警告する。ベルリンが拠点のフラウンホーファー研究機構が同メッセで展示したロボットだ。

デモ機を装着しながら、同機構のヤン・クーシャンさんが説明した。「言葉が分からなくても正しい動きが覚えられる。性別や国籍も関係ない。けがで職場を離れる人が減れば、企業はより効率的になれる」

ドイツは11年、ITを活用し中小企業も巻き込んで製造業の効率化をめざす「第4次産業革命（インダストリー4・0）」という政策を提唱し、ものづくり大国の威信をかけて進めてきた。蒸気機関による機械化が始まった第1次、電力が大量生産を可能にした第2次、電子工学などで自動化が進んだ第3次に続く「次」の技術革新をドイツ発で進めるのが目標だ。提唱から8年、AIの発展とビッグデータの活用が本格化した今、第4次産業革命への投資は「ついに利益を生む段階になった」とボッシュのマーク・ブーハラーさんは話す。

「今年は機械そのものよりも、スクリーンを使ってソフトウェアやデータを説明する展示が増えた」

第4次産業革命を推進する機構「プラットフォーム」（ベルリン）事務局のヤニーナ・ヘニングさんは、メッセの会場を見渡しながら言った。

「（総合機械メーカーの）シーメンスも、クラウド・コンピューティングを使ったOS（基本ソフト）を主力にした。提供するのはサービス。10年後には、メーカーといえども機械や車をただ売るだけではだめになる」

国際標準めぐって争いも

ものづくりの国際規格を作る争いの歴史は長い。

現在、世界中のメーカーが範とするISO（国際標準化機構）規格は1990年代以降、欧州主導で普及。元はフィルムやネジなど主に工業製品の規格だったが、環境保全手法にまで分野が広がると、日本でも多くの企業が取得を迫られた。

ドイツが第4次産業革命で見すえるのも、製造業の国際標準だ。

シーメンスやボッシュなどドイツの大企業は第4次産業革命を進めるにあたって、製品や設備の番号（コード）の共通化を始めた。企業の枠を超えて協力に乗り出した背景には、人を介さず機械同士が瞬時にやり取りする国際的な部品供給網（サプライチェーン）で自国のやり方を普及させることができれば、他国メーカーとの競争で優位に立てるとの思惑がある。

第4次産業革命は成果を見せ始めている。ドイツのハイテク業界団体ビトコムは、関連の売上高が2018年、72億ユーロ（約8800億円）に上ると予測。18～25年に、独企業が生み出す付加価値が計700億～1400億ユーロに達するとの推計もある。

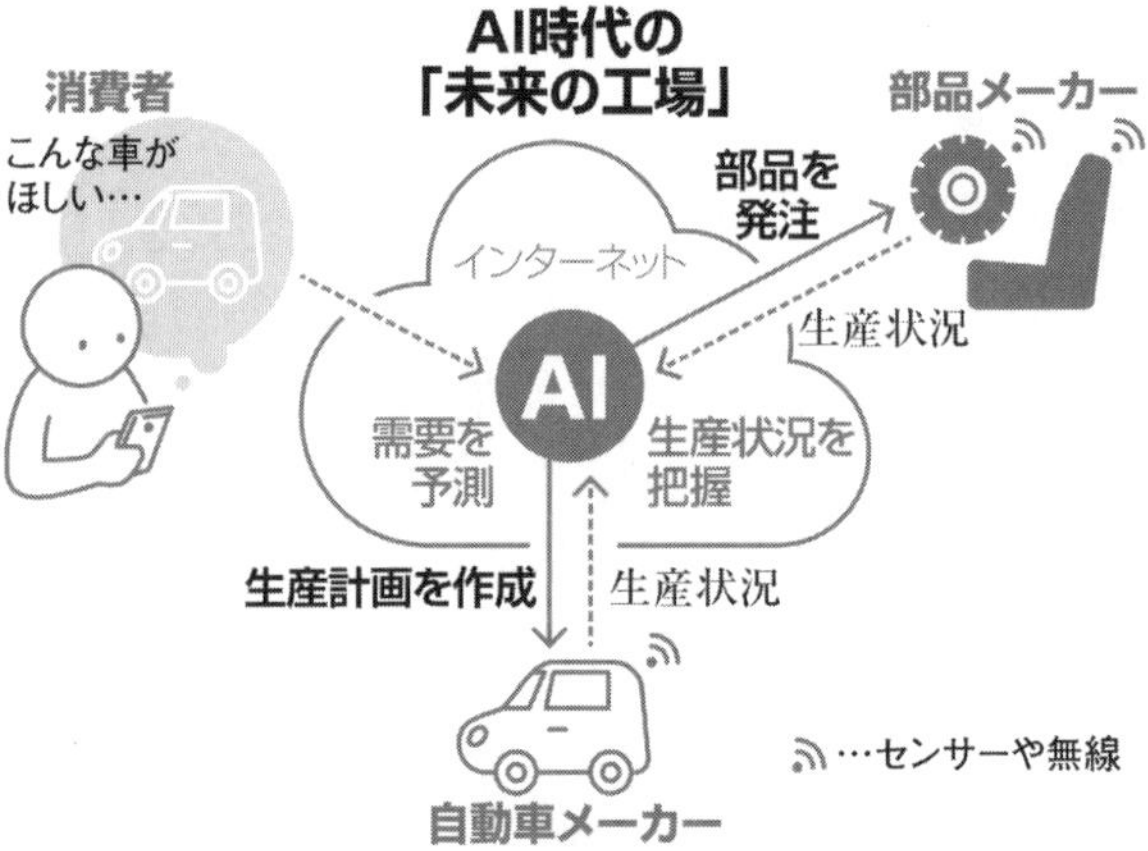

各国の「未来の製造業」計画

ドイツ	**第4次産業革命（インダストリー4.0）** …ドイツ政府、シーメンス、ボッシュ、SAPなど 2011年、産官学共同の国家プロジェクトとして開始。生産システムをデジタル化、AIを活用して効率化
米国	**インダストリアル・インターネット・コンソーシアム（IIC）** …GE、インテル、IBMなど 14年、加盟企業の会議体として発足。産業機械のデータを活用し、新しいサービスを生み出す
中国	**中国製造2025** …中国政府 15年策定。半導体の生産能力向上や、IT、ロボット、航空宇宙、電気自動車などの生産技術を向上させる
日本	**ソサエティー5.0** …日本政府、経団連など 16年、「科学技術基本計画」の中で閣議決定。交通やエネルギーなど11分野で目標を列記

その行き着く先は「AIが人の雇用を破壊する」状態になりかねない。それでもドイツには、00年代以降の「IT革命」で米国企業に後れを取った傷の方が大きい。「ITではマイクロソフトやグーグルなど米国企業に抑えられた。そして今、自動運転を打ち出すテスラも登場した。このままでは、製造業でものみ込まれるという警戒感がドイツにはあった」。日立製作所で執行役常務・IT統括本部長などを務め、製造業のデジタル化についての本を書いた大野治さんは語る。

米国も、データによる製造業の革新に乗り出している。ゼネラル・エレクトリック（GE）を中心に、インダストリアル・インターネット・コンソーシアム（IIC）という団体が14年に発足。200社超が参加し、生産設備のデータ分析などを進めている。

競争は先進国間だけではない。15年、「中国製造2025」を発表し、品質や生産効率も含む製造業の総合力で世界のトップグループに入る目標を掲げた中国。その翌年、中国家電大手が独ロボットメーカー「クーカ」を買収したことは、独国内の警戒感を強めている。

日本の進化を阻むもの

「欧州はルールづくりが得意で、国際機関で多数派をつくりやすい。米中には国内に巨大市場がある。日本の環境は厳しい」と大野さんは指摘する。日本に望みはないのか。

18年12月、工作機械の制御装置をつくる安川電機の新工場「安川ソリューションファクトリ」が埼玉県入間市で本格的に操業を始めた。中には「箱」のようなものが20個ほど、整然と並んでいる。よく見ると、それぞれの中には生産用のロボットがあり、バラバラに動いている。

部品の形に合わせて自ら動きを変え、生産状況に合わせて必要な部品を自ら運ぶ。すべて自動管理されており、約1千種類という多種の製品を少量から、無駄なく作ることができるしくみを実現した。

活用したのはやはり、ＡＩやビッグデータだ。熟練の技が必要になる作業数も約45％減らし、検査工程の自動化も可能にした。稼働中のロボットのデータを司令室に集めて分析し、故障予知などにも生かす。働く従業員も従来型工場の3分の1に減らせ、生産効率は3倍に高まったという。

ドイツが第4次産業革命なら、日本は「ソサエティー5・0」――。経団連と政府が16年に打ち出したこの言葉には、「1・0」の狩猟社会、「2・0」の農耕社会、「3・0」の工業社会、「4・0」の情報社会と発展してきた日本を、ＡＩやデータを活用した

「5・0」の「超スマート社会」に変えていくという気構えが込められている。

ただ、先行するドイツの背中はまだ遠い。

18年の中小企業白書によると、製造業でAIやビッグデータなどの先端技術を一つ以上活用している中小企業は全体の1割程度にとどまる。大企業と中小企業の生産性格差が拡大しているという課題も指摘されている。

政府が主導する「ロボット革命イニシアティブ協議会」で産業のスマート化を担当する水上潔さんは「日本はこれまで、企業グループ内で従業員の質を高めて技術的な競争力を維持してきた。しかし今や、グループごとの高い壁はマイナスに作用する。中小企業を含めて情報の共有に時間がかかっていては、AIやロボットが主役の世界では勝負できなくなる」と警告する。

論点⑩ ネットにつながる車は安全か

インターネットとつながる「コネクテッドカー」が急速に増えている。その先には人ではなく、データが車を走らせる自動運転の未来が広がる。便利になる半面、新たなリスクも忍び寄る。

「スマホ化」する車

「中東のシリコンバレー」にある石造りの素朴な建物に、自動車産業の未来を左右する可能性を秘めたベンチャー企業がある。

イスラエルの商都テルアビブの北、ヘルツリヤにあるオトノモが創業したのは15年。以来、コネクテッドカーからさまざまなデータを集積している。

コネクテッドカーがやり取りするのは速度や位置、車間距離、ハンドルやブレーキの動き具合、オイルやバッテリーの残量といった車のデータだけではない。運転者らの心拍数など、乗っている人の健康に関する情報も。オトノモには、日本企業を含む車メーカーなどから日々、世界各地の1800万台分の情報が送られてくる。そのデータを保険や広告、小売りなど100社超に提供する。

「社員は80人だが、コネクテッドカーのデータの集積所としては世界最大だ」と創業者のベン・ボルコウ社長は自慢する。

「データとセキュリティーがわれわれのビジネスの核心だ」とボルコウ社長は語る。イス

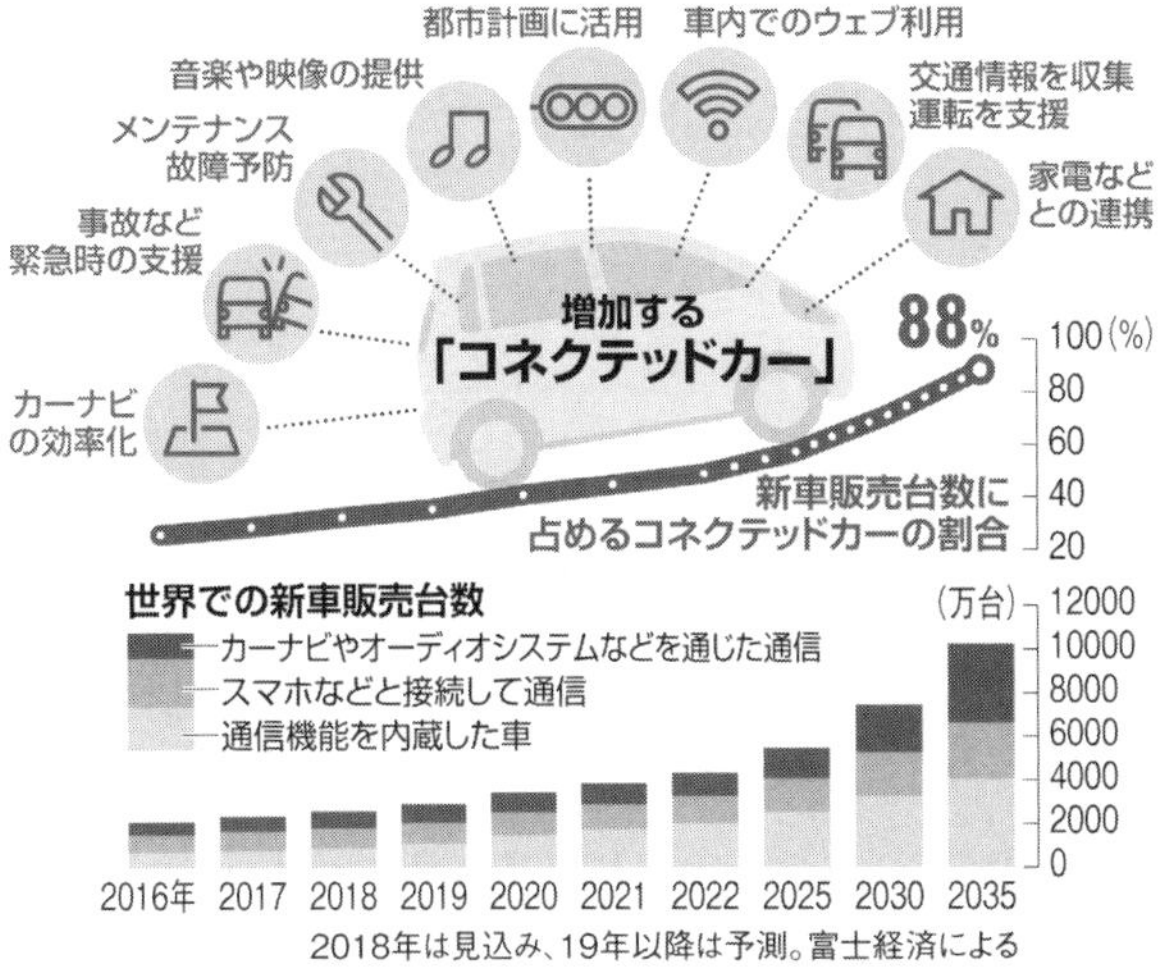

ラエル軍でサイバーセキュリティーの実務を経験したエンジニアたちが支える。膨大な情報が集まるオトノモの存在感の高まりは、車が集めるビッグデータが価値を持ち始めたことを象徴する。

日本でも、コネクテッドカーの情報を利用した保険商品が生まれている。

トヨタ自動車と、あいおいニッセイ同和損害保険は18年1月、「つながる」保険を発売した。レクサスやプリウスなど、トヨタ製の車に搭載される通信機を通じ、ブレーキやアクセルの踏み具合などを記録したデータを送り、運転者の特性を分析。急発進や急ブレーキが少なく、安全性の高い運転を続けていると保険料が安くなるしくみだ。

米国で00年代前半に始まった保険商品で、同じ条件の従来型保険に比べて事故を起こす比率が3割下がったという。「見られているという運転者の自覚が、より安全な運転を促している」とあいおいの担当者は話す。

つながる車の可能性はまだまだある。

東京都江東区で開かれた19年の東京モーターショー。トヨタのブースに展示されていたのは、自動運転が当たり前になるであろう30～50年後、モノではなく、サービスを提供する次世代の移動手段「ＭａａＳ《マース》」を具体化したコンセプトカーだった。

車イスのまま乗り込めるスロープのついた「ｅ―Ｃａｒｅ《ケア》」は、医療サービスに特化する。人工知能（ＡＩ）やカメラを使って顔色や心拍数などを分析し、健康状態を調べる。車の中で遠くにいる医師と話して、診察を受けられる。人口減少が進み、近くに病院のない地方でも、お年寄りの受診を可能にする。

いわば未来の車だが、トヨタのＩＴＳ・コネクティッド統括部の山本昭雄部長は「必ず実現できる」と断言する。「車は移動手段から、データを集め社会課題を解決するデバイスになる」。20年には、通信機を日米欧で販売するほぼ全ての乗用車に搭載し、新たなサービス開発をめざす。

「走るスマートフォン」といわれるコネクテッドカー。調査会社の富士経済によると、その世界販売は19年、2900万台と新車全体の35％に達し、30年には7割を超えると予測される。

ただ、車がスマホと違うのは「つながる機能が命に直接かかわることだ」と山本部長は言う。便利さをもたらす機能が、安全を脅かそうとしている。

自動車が乗っ取られる

高速道路をSUV（スポーツ用多目的車）「ジープ・チェロキー」が疾走する。車内では突然、運転手が何もしないのにエアコンがついた。ラジオは大音量で流れっぱなしになり、ワイパーも動き出した。最後にエンジンが切られ、車は急減速した――。

ITなどの専門誌ワイアードが公開した動画の一幕だ。米国の情報セキュリティーの専門家、チャーリー・ミラー氏らが車のシステムを乗っ取り、別の場所にあるパソコンから車を遠隔操作。実験だと分かっていても、運転手役の記者はパニックに陥った。

「自動車のサイバーセキュリティーに危機感を持ってもらうのがハッキングの狙いだっ

た」

ミラー氏は、自身を有名にした15年の「公開実験」をそう振り返る。

動画の公開から3日後、製造元の自動車大手フィアット・クライスラー・オートモービルズ（FCA）は、同様にインターネット接続する車種計140万台のリコールを発表した。「ハッキングに対する予防措置のため」という。

この後、各自動車メーカーはコネクテッドカーの安全性を高めたが、ミラー氏は「時間と努力を惜しまなければ、ハッキングできない車はない」と言い切る。

対策を講じる上では自動車特有の課題もある。「車は通常、製造の何年も前に設計され、携帯電話よりずっと長い期間使われる。最新の安全性を保つのが簡単ではない」とミラー氏。

ハッカーとメーカーの攻防はすでに始まっている。

5378。パソコンに映し出された世界地図の一角に、攻撃された車の台数が赤い文字で刻まれていた。車に使われる制御用コンピューター（ECU）のソフトウェアに対し、世界中のハッカーが1秒間で仕掛けたサイバー攻撃の数だ。

コネクテッドカーなど車にはカーナビやエンジンなどにECUが多く使われる。最近の車には150個以上搭載されているという。イスラエルのIT企業カランバ・セキュリティーは、ネットワークを通じて外部から車に侵入されるのを防ぐため、車や部品メーカーが開発するECUの弱点を調べるシステムを開発した。

実際のデータを使ったデモ画面をみた。新しいソフトウェアに興味を持つハッカーの習性を利用し、新しいECUに使われるソフトを米国やドイツ、東京など世界各地のサーバーに置くと、捕獲器のエサに食いつくネズミのようにハッカーが寄ってくる。

攻撃の数は、18年10月からの3カ月間で月平均30万回に上った。侵入された場合はメーカーに報告。弱点を修正した上で新車に搭載される。

カランバと提携する日本のIT企業、アズジェントの杉本隆洋社長は「通信機能を持つカーナビなどからも侵入される恐れがある」と指摘する。

独BMWの車で18年春、音楽を再生したり、車両位置を追跡したりする車載ユニットから侵入し、遠隔操作できる危険性が見つかった。発見した中国IT大手テンセントの研究者がBMWに報告し、BMWは車載ソフトの修正に応じた。

「コネクテッドカーはまだ黎明期《れいめい》期。今はハッカーが自分たちの腕を試そうと車の脆弱《ぜいじゃく》性を発見しているレベルに過ぎない。だが遠からず、車に集まる個人情報を盗みとったり、遠隔操作で個人や企業を脅かしたりする人たちが出てくる恐れがある」と杉本社長はみる。

攻防はいたちごっこに

人がハンドルを握るコネクテッドカーより、自動運転車は外部から侵入された場合のリスクがいっそう高い。

自動運転車が走行中にサイバー攻撃を受けたら——。瀬戸内海に浮かぶ香川・小豆島で19年3月、香川、群馬、明治3大学による共同の実証実験があった。

無人で走るレベル4を想定した。緊急時には手動に切り替えられるように、実験車両のミニバンに乗るドライバーはハンドルから手を離している。サイバー攻撃でプログラムが変更された想定で、前方の障害物を検知して停止するセンサーを切った。

海に面した県道を時速18キロで走っていると、緩やかな左カーブを曲がったところで突然、人を模した高さ1・8メートルのバルーンが目の前に現れた。車は減速せず衝突した。最後は人がブレーキを踏み、自動走行を解除して止まった。

群馬大の三樹孝博・特任准教授は「サイバー攻撃を受けても気づかない可能性が高い。責任の所在を明確にするためにも、所有者が攻撃を受けたことを立証するためログを残しておかなければならない」と指摘する。

自動運転車が乗っ取られれば、航空や鉄道などと同じように重大な事故につながりかねない。テロに使われる恐れもある。国連は、サイバーセキュリティーを確保する国際基準作りに乗り出した。

通信中にデータが書き換えられたり、抜き取られたりする恐れなど、起こり得る脅威をリストアップ。受信データが信用できるものなのか、暗号化して認証するしくみなどが盛り込まれる見通し。20年3月までに決まる国際基準をもとに、国土交通省は省令を改正し、自動運転車に対する不正アクセス防止をメーカーに義務づける方向だ。

国連の作業部会の共同議長を務める新国哲也・交通安全環境研究所上席研究員は「サイバー対策の基準は、車にとって安全や環境基準と並び欠かせないものになりつつある」と話す。

政府は、運転手が乗って自動走行するレベル3の車について20年をメドに実用化する目標を立てる。メーカーが自動運転車を懸命に防御しても、ハッカーは穴を探し続ける。横浜国立大の吉岡克成准教授は「その攻防はいたちごっこが続く」と警鐘を鳴らす。「多重防御のしくみを採り入れ、常に最新の対策にアップデートする必要がある」

論点⑪ AIは公正な社会をつくれるか

政策づくりに人工知能（AI）を使おう、という自治体が現れた。政治の世界でも、AIを駆使して民意をすくい取れないかと模索が始まる。技術の力を使い、公正でしがらみのない社会をつくり出そうとする試みは、有効なのか。

シナリオは2万通り

いまも長寿を誇っている長野県だが、全国と同じく少子化に歯止めがかからず、人口減に直面する。2040年までを見すえ、地域の課題をAIで解決しようとする試みが始まったのは、18年のことだった。

18年3月につくった県の総合5カ年計画から「人口」「魅力ある子育て環境」「豊かな自然」など283個のキーワードを抜き出し、それらがどう結びつくかの因果関係モデルを県職員がつくった。キーワード間の結びつきの強さや時間のずれを数値化し、一定の幅の「ばらつき」ももたせて誤差の可能性を加味した。

ＡＩはモデルを使って計算し、２万通りの未来シナリオをはじき出す。最終的には人の目で価値判断を加え、六つに集約した。

観光に力を入れつつ地域交通を整備する――。ＡＩが導き出した最善のシナリオだ。「最善」とそれ以外の五つのシナリオの分岐点は約10年後に訪れるとも予測。それまでに手を打てば、40年の産業所得は今よりも上がり、住民は健康な生活を送ることができる。人口減少も最小限にとどめられ、長野は持続可能な社会への軌道に入れると結論づけた。

プロジェクトは阿部守一知事の強い意向で進められた。全国の自治体で、ＡＩを利用した政策研究の成果を取りまとめたのは初めてという。きっかけは、京都大の広井良典教授（公共政策）と日立製作所が17年、ＡＩを使って50年の日本の姿を見すえた政策提言をしたことだ。そこでは「地方分散型」の社会の方が「都市集中型」よりも持続可能性があると導き出した。

人が処理できる情報量は限られる上、過去の成功や失敗の体験にどうしても引っ張られてしまう。誰も経験したことがない急速な人口減時代は「人間の思考の枠組みから解放される必要がある」と阿部知事は感じている。

ただ、ＡＩの予測をそのまま受け入れることはしないという。ＡＩにどのデータを読み込ませ、因果関係の軽重をどうつけるかによって結果は大きく変わり得るからだ。

ＡＩに何かを判断させる場合、情報収集の段階からＡＩを使うことが多いとされるが、長野県の未来予測では人を積極的に関与させた。「ＡＩではなく、我々が民主的なプロセスで意思決定する」（阿部知事）ことにこだわったからでもある。

「計算モデルを恣意《しい》的に人間が作ることによって、実は都合のいい結果をＡＩが出したように見せることも不可能ではない」と広井教授も認める。仮に作為的でなくても、モデルを人がつくる以上、何らかの偏りは排除しにくい。

課題も浮かび上がった。将来の借金が膨らみかねない県財政をどう見るかなど、データが少ないことで政策に具体性を持たせ切れなかった、と県は判断。引き続き研究を進め、予測精度を高めることにした。

それでも、阿部知事は19年4月の記者会見で「ＡＩを活用した政策決定には大きな可能性がある」と期待を表明した。同席した広井教授も「ＡＩの決定に従えばいいという極端な議論もあるが、ＡＩはあくまでツールだ」との認識を示しつつ、「証拠に基づいた政策形成は今後進んでいく。ＡＩの利用は一つの潮流になる」と話した。

実際、政策づくりにＡＩを使おうという動きは岡山県真庭市や岐阜県大垣市でも進んでいる。

「保育園落ちた日本死ね」はなくなる?

限られた範囲ながら行政の決定にＡＩが関与する例が生まれている。

毎年秋から冬にかけて、特に大都市では多くの父母が気もそぞろになる。わが子の保育所は、通勤と両立できるところになるだろうか。それ以前に「待機児童」になってしまったら……。

自治体にとっても、保育所の入所選考は頭が痛い。場所や保育時間など、親側はさまざまな希望を持っている。保育の必要性の強弱も判断しないといけない。時間と人的資源が多く費やされてきた。

さいたま市は、20年4月の保育所の入所選考からＡＩを導入することにした。30人ほどの職員が延べ１５００時間かけ、成人の日を含む1月の3連休をつぶして当たっていた作業が、17年度の実証実験ではわずか数秒で終わった。ＡＩの導入で、職員の休日出勤手当も削減できる見込みだ。

さいたま市に技術を提供した富士通によると、高松市や滋賀県草津市、広島県尾道市が

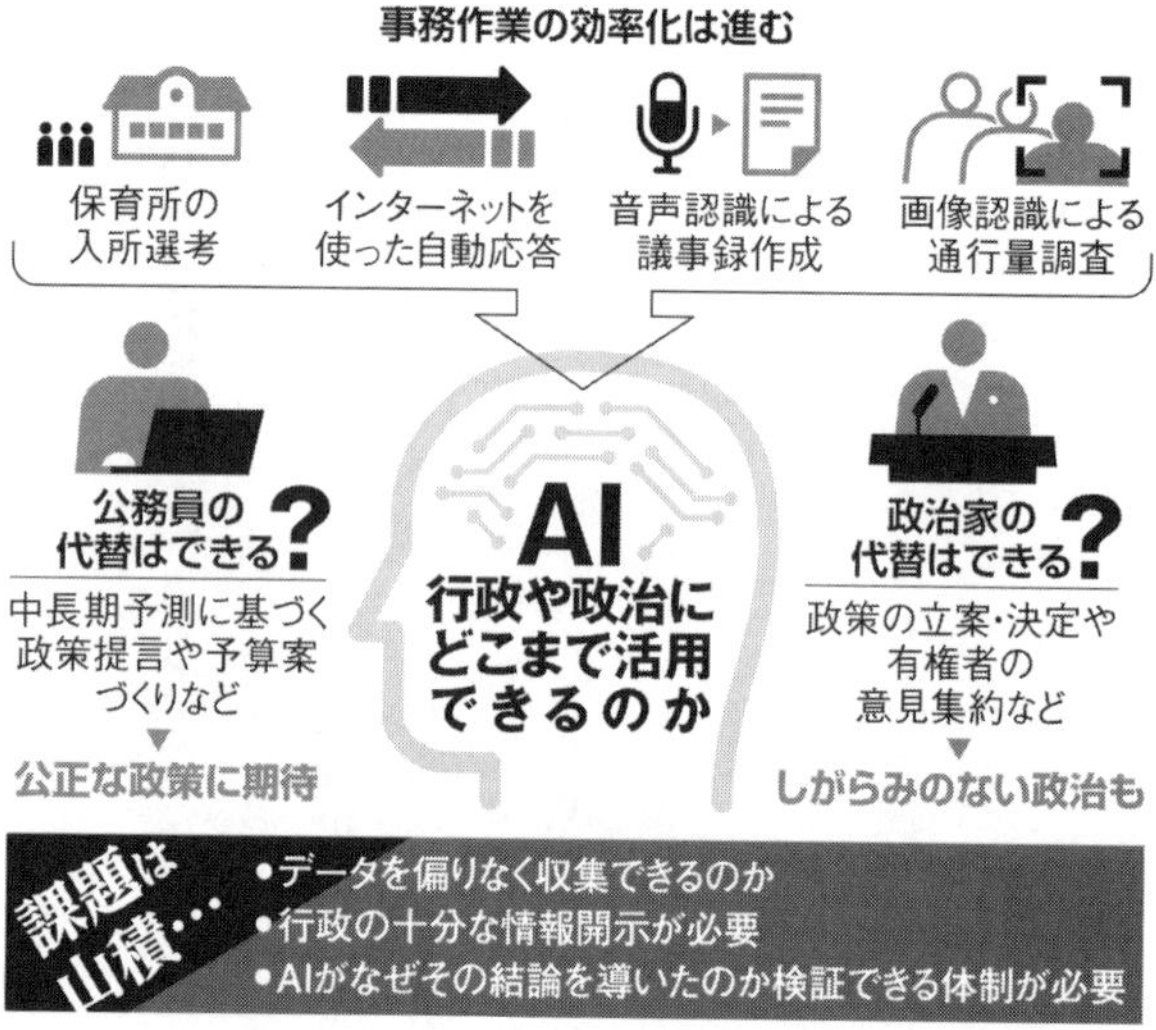
事務作業の効率化は進む
保育所の入所選考
インターネットを使った自動応答
音声認識による議事録作成
画像認識による通行量調査
公務員の代替はできる？
中長期予測に基づく政策提言や予算案づくりなど
公正な政策に期待
AI
行政や政治にどこまで活用できるのか
政治家の代替はできる？
政策の立案・決定や有権者の意見集約など
しがらみのない政治も
課題は山積…
•データを偏りなく収集できるのか
•行政の十分な情報開示が必要
•AIがなぜその結論を導いたのか検証できる体制が必要

すでに19年4月の入所分から採用。今後は20〜30の自治体が導入を予定しているという。同社の担当者は「予想を超える反響で、評判もいい」と話す。

自治体は財政難や少子高齢化で職員の削減を迫られている。総務省の見通しでは、高齢者数が最多に膨らむ40年代には、自治体は今の職員の半分で業務を担わなければならない。ＡＩは行政の効率化につながる「強力な武器」になる。

総務省が19年5月にとりまとめた調査によると、都道府県の約36％、政令指定市の約60％、その他の市区町村の約4％がＡＩを導入している（実証実験を含む）。

都道府県では、ＡＩを使った音声認識

で会議の議事録をつくる例が多く、市区町村では住民からの問い合わせなどでＡＩに自動応答させるところがめだつ。長野県が始めた、ＡＩによる政策づくりのような取り組みにまで広げているところはごく少数だ。同省行政経営支援室は「業務の効率化では成果が出始めているが、ＡＩ活用はまだ初歩段階」と話す。

自治体のＡＩ利用に詳しい日本総研創発戦略センターの井上岳一シニアマネジャーは「人口や予算規模が同じくらいの他の自治体との比較分析にＡＩを使えば、政策へのヒントになる。それには、情報が十分に公開され、かつ読み込みやすい形式にそろえておく必要がある」と指摘する。

有権者の納得は得られるか

ＡＩを使う動きがあるのは行政だけではない。統一地方選後半戦に行われた東京都多摩市議選に向け、19年4月に開かれた立候補会見に「政治ロボット」が登場。人間の候補者に代わって、電子音で呼びかけた。

「ＡＩを駆使して政策立案を行うことが市民のためだと考え、ＡＩ党から立候補しました」

ＩＴ会社経営の松田道人さん（45）は、地域政党「人工知能が日本を変える党（ＡＩ党）」を立ち上げ、市議選に候補者1人を擁立した。自身も、18年4月の多摩市長選に出馬したが落選。今回の統一地方選では支援に回った。ロボットを使ったのは、メディアに向けた演出だ。

訴えたのは政策の中身ではなく、その決め方だ。ＡＩ党は過去の市議会の議事録や市の予算、ＳＮＳの投稿などをデータベース化し、ＡＩで分析。地域の課題に優先順位をつけて予算配分をすることなどで利益誘導を防ぎ、「しがらみのない政治」が実現できると主張した。

しかし支持は広がらず、32人中31位で落選した。

松田さんはそれでも、ＡＩで政治を変えられるとの信念がある。「政治は技術の進歩に取り残された最後の世界。計算式のない政策は立てるべきではない」。理想とするのはさらにその先だ。民意を多数決で測る役割は、テクノロジーがあれば全員参加も難しくなく、議会は不要になると考える。

政治や行政の役割は、からみ合った利害を公正に解きほぐし、公平に配分することにある。それには、感情のないＡＩの方が向いていると考えることもできないわけではない。

国政政党や、議員のなり手不足に悩む地方議会などでも、ＡＩの活用を求める声がある。

しかし、メディア法や憲法を研究する水谷瑛嗣《えいじ》郎《ろう》関西大准教授は「今の停滞した政治状況を打破するためにテクノロジーを使いたいという気持ちは分かる」と理解を示しつつ、実証実験を重ねるなど慎重に進めるべきだとの立場だ。

ＡＩには、なぜそう判断したかの過程が見えない「ブラックボックス」問題が拭えず、ＡＩがつくった政策の妥当性を人間が追及できるしくみが欠かせない。そもそもシステム開発会社がつくるＡＩの設計式が適切なのか、検証することも必要だと水谷准教授は考える。

「民主主義は、失敗したときになぜ失敗したかを説明できるプロセスそのもの。ＡＩは効率的かもしれないが、重要なのは有権者を納得させられるかどうかだ」

政治や行政の世界におけるＡＩの登場は、民主主義の過程である「熟議」や「説明責任」を果たすことの意味を、人間に問い直している。

2章　見えないルーラー（支配者）

論点⑫ データを持つものの圧倒的な力

知らぬ間に集められたデータが人々を「評価」する。就活生が内定を辞退する確率が予想、販売された問題は、ネット利用者の意思とは無関係に個人データが使われてきた現実に、日本も無縁ではないと改めて感じさせた。データが新たな「ルーラー（支配者）」になるのだろうか。

投票行動が丸裸に

銃を持つ権利＝3
移民政策＝8
安全保障＝7
10個の政治課題に対し、1から10までの番号がつけられていた。関心の強さでつけた「順位」とみられる。「共和党員の可能性はかなり低い」「投票に行く可能性はかなり高い」との記述もつけられていた。

米ニューヨーク・マンハッタンにある大学准教授のデービッド・キャロルさん(44)が、自身のパソコン画面で見つめていたファイルは、トランプ氏が勝利した2016年の米大統領選時に自身が「評価」されたデータの一部だ。英国の選挙コンサルティング会社「ケンブリッジ・アナリティカ」(CA)が持っていた。

この大統領選では、米交流サイトのフェイスブック(FB)から最大8700万人分の個人情報が流出したと問題になった。実名や居住地、趣味や結婚の有無まで登録する人も少なくないFB上に、CAから費用提供を受けた英大学教授が学術目的とした「性格診断アプリ」を設置。アプリを試した人やその友人のデータが抽出され、流用された。

FB利用者の性格に関するデータと個人情報をマッチングさせて政治的志向などを分析。有権者ごとに、トランプ氏をたたえたり対立候補のクリントン氏を人格攻撃したりする政治広告を配信した。このことが結果に影響を及ぼした可能性が指摘され、「データ支配」が世界で注目される一つのきっかけになった。

キャロルさんは、自分のデータが流出していたのではないかと疑い、CAとその親会社が持つ自らのすべてのデータを開示するよう、CAの本社がある英国の個人情報規制当局に請求した。メールで返信されてきたのは、エクセルのタブ三つ分というわずかなデータにすぎない。しかし、そこにはさらに目を疑うような内容も含まれていた。00年以降の選挙でどの政党に投票したかの一覧表だった。

米国では州によって、有権者が過去の選挙でだれに投票したかの情報を公開している。そのデータまで統合されていたとみられる。

「投票行動が丸裸にされていた。（ネット上の個人情報を売る）データブローカーから買い集めた情報と、FBの個人情報とをつき合わせていると確信した」

キャロルさんはその後もデータの入手元や、自分がどのように分析され、その結果がどこまで共有されたのかなど、全面的な情報開示を求め続けてきたが、CAが19年4月に破産して道は閉ざされた。

もともと個人情報保護について包括的な法律がない米国では、一部の法律でデータ提供者の権利を保障するにとどまる。「仮にCAが米国の会社だったら、たとえ一部でも自分のデータを取り戻せなかった。自らのデータを取り戻すすべを知らない米国民にとって、最初の一歩になった」

キャロルさんが個人情報の扱われ方に関心を示すのには理由がある。教壇に立つ前はマーケティング会社に勤め、個人情報から行動などを予測する「プロファイリング」に、自らが忙殺されていた。個人情報の使い方に明確なルールがなく、エスカレートしていく予測作業に嫌気が差し、仕事を辞めた。

今は大学でメディアデザインを専門にしている。教え子の多くは卒業後、グーグルなど「GAFA《ガーファ》」に就職する。「いつか教え子が民意を操作する仕事に携わるかもしれない。その時、一度立ち止まって考えてほしい。プロファイリングによって、人を動かすことがいかにたやすいかを」

勝手に共有される私の情報

「CAの問題は氷山の一角。英国の司法なら、データを取り戻せる」

キャロルさんに、ツイッターを通じて個人情報の開示を求めるよう勧めたのは、ベルギー人の数学者、ポール・オリビエ・ドゥエさん（37）。企業が保有するデータを個人の手に取り戻し、活用できるよう支援する国際NPO「マイデータ・グローバル」を18年、共同設立した。「SNS上では、『マインドレス・ゾンビ（思慮に欠ける人）』になりやすい。自分のデータがどう使われているか。主体的に考えるべきだと、CAの問題が教えてくれた」。勝者による「独り占め」になりつつあるデータ支配への警鐘だった。

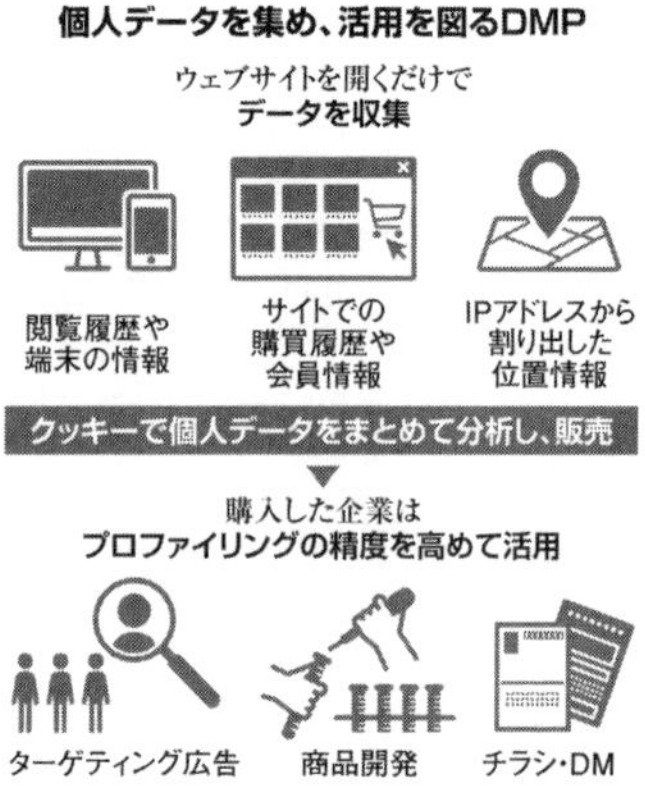

「マイデータ」の拠点は日本にも19年6月にできた。理事の一人が太田祐一さん（36）。かつて「データ・マネジメント・プラットフォーム（DMP）」を使ったデータの仲介会社に、技術者として勤めていた。

DMPとは、その人が興味を持ちそうな商品を薦める「ターゲティング広告」やマーケティングをする目的で、バラバラにネット上に存在する個人データを統合するシステムのことだ。仲介業者の多くは、大手の通信会社や商社の傘下にある。

例えば、あなたがどこかのサイトを開くだけで、使っているパソコンやスマホなどの情報が仲介業者などに送られる。太田さんは「日常的にパソコンやスマホを使っている人なら無意識のうちに、1日約250の業者らにデータを提供している」と話す。

DMPで扱われる代表的なデータの一つが「クッキー」。閲覧しに来た端末をサイト側が識別できるようにつけられる目印だ。例えば通販サイトで、いったんカートに入れた商品がカートに残り、後で購入できるのはクッキーのおかげだ。

データ仲介業者はこの目印を別のやり方で使う。クッキーを頼りに、その人の閲覧履歴を複数のサイトから探し出し、メールアドレス、インターネット上で端末の「住所」に当たるIPアドレスなどを一つにまとめて企業などに売るのだ。

クッキーに残るデータは一つひとつが個人を特定しているとは限らず、日本の個人情報保護法では「個人情報」と明確には位置づけられてはいない。ただ、「すべてをまとめれば個人が特定できることもある。結果的に法の抜け道になっている可能性がある」と太田さんは指摘する。

こうした業者が個人のビッグデータ収集に乗り出しているのは、圧倒的な利用者データを握るGAFAへの対抗策でもある。グーグルやフェイスブックのように精度の高いターゲティング広告などをするために、クッキーなどを通して個人データを共有できるしくみが求められた面もある。

個人情報が知らぬ間に利用されていることに強い危機感を抱いた太田さんは16年、ITベンチャー「データサイン」(東京)を設立した。個人情報の取り扱いを説明するプライバシーポリシーなどを企業に助言し、データ管理の透明性を高めるのが業務だ。

「人のデータを使って利益を上げるのであれば、きちんと本人に知らせる必要がある。このまま放置すれば、知らないところでデータが信用スコアなどに使われ、監視や個人の行動制限につながることだって考えられる」

太田さんの心配が杞憂《きゆう》でなかったことを示す事件が、日本でも起きた。

リクナビ問題が浮き彫りにした「弱い個人」

就職情報サイト「リクナビ」を運営するリクルートキャリアが、就活生の同意を得ぬまま内定辞退率を予測して企業に販売したとして、政府の個人情報保護委員会から19年8月下旬に勧告と指導を受けた。ＤＭＰをうたったサービスで、トヨタ自動車などの大企業が買っていた。

リクルートキャリアは、どんな情報をどのように集めていたのか。

サービスは当初、応募者の氏名やメールアドレスを伏せた形で採用側の企業に提供してもらい、リクナビが保有するクッキー情報を突き合わせる形で進められていた。個人名と辞退率のマッチングは契約企業側がしていたという。

しかし、このやり方では個人の特定が十分できず、予測精度も上がらないため、19年3

月からしくみを変えた。採用企業に応募者の氏名、メールアドレス、大学名をそのまま提供してもらい、リクナビが持つ会員の個人情報と直接結びつけるようにした。

加えて、社外の「外資就活ドットコム」とも連携し、就活生のウェブ上の閲覧履歴などのデータ提供も受けるようになった。精度を上げるためにより多く、かつ具体的な情報を得ようとしていた様子がうかがえる。

個人情報を直接扱うようになったにもかかわらず、リクルートキャリアは約8千人分のデータを同意なく第三者に提供。同意を得ていた就活生に対しても、取得した情報の利用目的などを分かりやすく説明しなかった。「サービスが研究開発的な位置づけだったため、通常経るべき検証が省かれた。企業の採用業務が煩雑になる中で、生産性を上げることに集中しすぎた」。小林大三社長はこう釈明した。

情報を使われた就活生にとって、「内定辞退率」の予測はメリットに乏しい。ましてや不利益すらもたらす評価を勝手にされ、同意なく第三者にその情報が売られていたというこの問題は、企業の「データ支配」に対する個人の立場の弱さを浮き彫りにした。

個人情報保護に詳しい板倉陽一郎弁護士は「そもそも本人が、スコアの外部提供に同意することが想定できない事案。個人情報に対する意識がマヒしている。企業が内定を出す過程で、学生が不利な扱いを受けて差別されていた可能性も排除できない。そこが一番の問題だ」と指摘する。

論点⑬ 個人情報はどう使われているか

個人情報とは何か。就活生の内定辞退率を企業に販売していた「リクナビ問題」は突きつける。より便利な世界を求めることで、知らぬ間に個人データが共有される。この見えない支配から逃れられないのだろうか。

知らぬ間に57サイトの閲覧情報が筒抜け

東京都内の私立大4年の男子学生(22)は驚いた。「就活のために登録した情報が全く関係のないものと結びついていたなんて」

ＩＴ企業から内定を得た19年6月まで、就活情報サイト「リクナビ」に登録していた。リクナビのサイトを開くときはもちろん、検索などで日常的に使っていたブラウザー(ネット閲覧ソフト)「グーグル・クローム」を専門会社で分析してもらったところ、18年10月からの1年間に、57サイトでの閲覧情報がリクナビ側から見られる状態になっていた。57サイトは飲食店や不動産業者など、就活と関係ないと思われるものばかりだった。

リクナビを運営するリクルートキャリアは19年8月、内定辞退率の第三者提供に学生の同意を得ていなかったなどとして、個人情報保護委員会の勧告と指導を受けたが、その対象にはこのような外部サイトとの結びつきまでは含まれていない。一体、何が起きていたのか。

利用者がウェブページを閲覧すると、サイト側がページを訪れた人を識別するために「クッキー」という目印を端末側につける。

18年3月に辞退率を契約企業へ提供するサービスを始めたリクナビは、19年2月までクッキー情報を集めて辞退率を算出していた。クッキーには氏名が含まれず、単体では「個人情報」とはみなされない。企業にとって個人情報を扱うことは漏洩《ろうえい》のリスクなどを伴うからだ。

とはいえ、契約企業が最終的に個人を特定できなければ、辞退率を求める意味はない。そのための仕掛けとして、就職説明会後などに就活生に記入させる企業のアンケートサイトをつくり、そこにリクナビのサイトと同じ「タグ」を埋め込むことにした。

このタグは、幅広いサイトに点在する同一のクッキー情報をつなげる「橋渡し」の役目を果たす。今回のケースでは、アンケートに答えた学生に企業側が独自のＩＤを付け、クッキー情報と照らし合わせて個人を特定していた。

辞退率を購入した企業の一つは、こう打ち明ける。「アンケートページにさえ誘導できれば、より精緻《せいち》なデータが取れると提案された」。就活生のデータ集めに力を注ぐリクナビの姿が浮かぶ。

問題はここから。データ管理サービス会社「データサイン」（東京）と協力して朝日新聞が調べたところ、リクナビや企業アンケートのサイトに埋め込まれていたものと同じタグが、問題発覚後の19年9月時点で、計１１０６の外部サイトでも見つかった。中にはネット通販や消費者金融のサイトもあった。

リクナビに登録する約80万人の就活生がこれらのサイトを訪れると、氏名や住所、メールアドレス、学校名などリクナビに登録された個人情報と、外部サイトの閲覧履歴が結びつけられる状態だったことになる。冒頭の学生もこのタグを通じて、57サイトの情報が「筒抜け」になっていてもおかしくない。

この外部サイトからの情報も、辞退率算出に使われていたのか。リクルートキャリアは

リクナビと契約企業の間のデータの流れは複雑だ

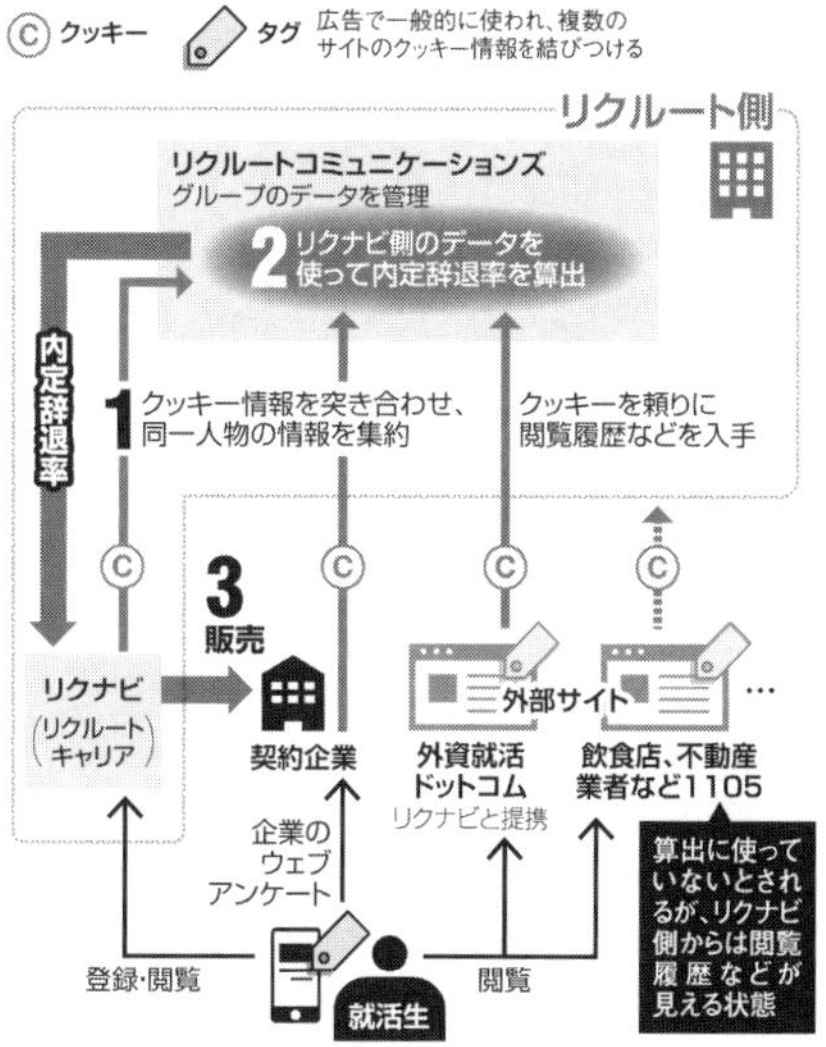

リクナビの何が問題視されているのか

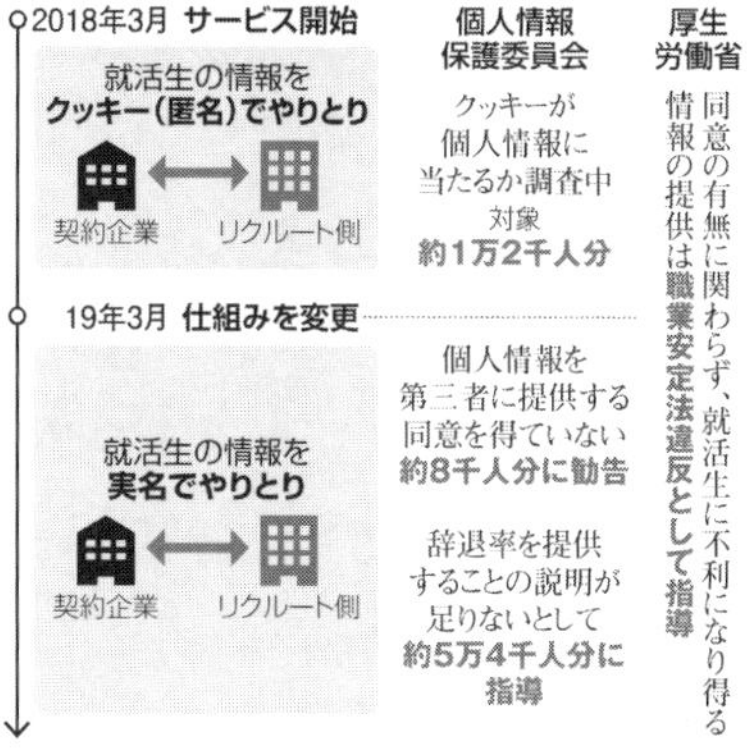

取材に対し、正式に提携していた「外資就活ドットコム」を除き、「外部サイトの情報は一切使っていない」(広報)と答えた。

しかし、データサインの太田祐一社長は、「調べようと思えば、購買履歴や金の借り入れなどサイト内での行動まで分かる」と指摘する。

リクルートキャリアの関連会社でこのタグを発行・運用していた「リクルートコミュニケーションズ」のサイトにはこう明記されている。

「集めた個人データは、広告効果の測定やマーケティングの調査・分析に使う」

太田社長は「広告やマーケティングに使うタグを就活サービスと一緒くたにして使っていたことが分かる。人生の中で重要な情報を広告と同じように扱ったことは、ずさんとも言える」と疑問を呈する。

そもそもクッキーは「個人情報」にならない?

保護委のリクナビへの調査で最大の焦点は、そもそもクッキーが個人情報に当たるのではないか、という点だ。

クッキーを使った19年2月までのリクナビ側と契約企業との情報のやり取りに、保護委は注目している。クッキーには氏名が含まれないとはいえ、両者の情報のやり取りの中で氏名が結びつくしくみがあれば「個人情報」として扱うべきケースがあるかもしれないからだ。

保護委は、学生の実名などが記載されたデータベース情報とクッキー情報が関連づけられたり、個人を特定するために参照した痕跡が残っていたりしないかなど、リクナビ側のサーバーを調べているという。

保護委の弱点は、データ流通に詳しい専門家が少なく、オンライン上の事案を取り扱った経験も乏しいことだ。今後の調査で、19年2月以前のやり方でも第三者提供などの同意を就活生から得る必要がある「個人情報」だったと認定されれば、処分の対象になる恐れはある。

保護委が勧告や指導に踏み切ったのは、リクナビが19年3月に辞退率を予想するやり方を変えて以降についてだけだ。辞退率の予測精度をより高めるために、就活生の氏名や大学名をそのまま、採用活動をする契約企業から提供してもらう運用にした。この変更に伴って、約8千人分の同意漏れや約5万4千人に対する説明不足などが生じた。

保護委と並行して調査しているのが厚生労働省だ。さらに広い視点で問題視しており、

19年9月には職業安定法に基づく指導に踏み切った。

「学生にとってリクナビに登録しないと就活が難しくなる。プラットフォームを提供するという優越的な立場を利用して、就活生からの同意を得ていた可能性がある。このような事業は行わないでもらいたい」（担当者）。指導の対象も、辞退率の販売が始まった18年3月以降すべての期間と保護委よりも長い。

リクナビが辞退率を予想した裏には、辞退率をほしがる契約企業の存在があるのも事実だ。

リクナビは契約企業から提供されるデータに加え、就活生が自らのサイトでどの業界のページにどのくらいの時間、接続したかをまとめ、人工知能（ＡＩ）に過去の辞退者の傾向と比較させて算出。トヨタ自動車や三菱電機など34社が、年４００万～５００万円払って辞退率を購入した。多くは「合否判定には使っていない」と説明するが、保護委や厚労省は契約企業側も調査している。

リクナビ側、契約企業の双方が、ネット上の個人データを使って辞退率を売買するビジネスモデルへのリスクを軽視していたのはなぜか。

気持ち悪くても許容されてきた世界

「すべてのクッキー情報を結びつけるのは、広告やマーケティングでは当たり前。私たちはそのおかげで便利なサービス提供を受けている」

データサイエンティストでもある星野崇宏・慶応大教授（行動経済学）の考え方はインターネット広告業界の「常識」でもある。

ネット広告の最大の特徴は、利用者ごとに広告を出し分けるターゲティング広告だ。それを武器にネット広告は急成長、その規模は18年、1・8兆円に迫り、19年にも地上波テレビを抜いて全媒体の頂点に立つ勢いだ。

利用者がサイトでどんなものを見たのかといった閲覧履歴や、何に関心があるかの検索履歴、ネット通販による購買履歴――それらを集めるだけではない。その広告に対して、見た人がどんな反応をしたのかというデータさえも使い尽くす。

ネット広告の世界で圧倒的な力を持つのが米巨大ＩＴ企業のグーグルだ。検索や地図など、グーグルの無料サービスを提供することと引き換えに得るデータを約２４００項目に細分化し、ターゲティングの精度を上げてきたとされる。

「知らぬ間に自分の情報が抜かれ、消費者からすると気持ち悪い状況だが、ずっと許容されてきた」。ネット広告に詳しい森亮二弁護士は説明する。

しかし、欧州連合（EU）が18年に施行した一般データ保護規則（GDPR）が、氏名などを含まないクッキー情報も個人情報として保護する姿勢を明確化するなど、個人情報を巡る権利意識は高まる一方だ。

そこで多くの企業は「個人情報を扱うリスク」を取らずにターゲティング広告の効果を上げられないか、さらなる知恵を絞る。辞退率が販売された問題は、その延長線上に現れた氷山の一角なのかもしれない。

テクノロジーの進歩に伴う便利さと手を携え、新たなルーラー（支配者）が世界中のネットユーザーの前に姿をみせている。

論点⑭ GAFA、日本でのロビイング活動と今後

米巨大IT企業「GAFA《ガーファ》」が、集めた膨大なデータを武器に、市場の支配力を強めている。国家さえも揺さぶるパワーを抑えようと、欧州連合（EU）を中心にGAFA包囲

網が広がる。日本はどこまで有効な手立てを打ち出せるのか。

「手数料30%」突然の通告で利益吹っ飛ぶ

19年に入って届いた1通の英文メールが、東京都内のアプリ開発会社の運命を一変させた。

「あなたの会社のアプリがガイドラインに準拠しないことを確認しました」

送り主は、GAFAの一角である米アップル。ガイドラインとは、iPhone《アイフォーン》にアプリを提供する企業などに対してアップルが独自に定める規約のことだ。「2週間以内に対応を取らなければ、アップストアから削除する」という趣旨のメッセージも添えられていた。

問題視されたのは決済手段だった。従来は合意に基づき、アップルを通さず利用者に課金してきたが、メールでは突然、アップルが提供する決済手段を使うよう迫られた。

それだけではない。アプリでの売り上げの「30%」を手数料として同社が取るという内容も含まれた。通常のクレジット決済では5~10%程度が相場とされる。利益が吹き飛び、軌道に乗りつつあったビジネスは一転、存続すら危うくなった。

最初はアップル以外の決済手段も残して一定の利益を守ろうとしたが、何の通告もなくアプリを一時削除された。他のアプリ配信も止められる恐れがあったため、すべてアップルを通すよう切り替えざるを得なかった。「30%は高すぎる。それでも受け入れざるを得ない」と40代の創業者は話す。

その結果、利益の大半が消え、赤字になる月が出るなど経営は綱渡りが続く。「仮想と現実を融合させた新たなアプリを開発したのに、市場規模が大きくなったのを見計らってアップルが利益を奪いにきた」。創業者は、アップルによる「突然のルール変更」に憤りを隠せない。

スマートフォンが世界中で普及した今、アプリをダウンロードするサービスを提供する「プラットフォーマー」の力は絶大。アップルは、アンドロイド端末などで同様のサービスをしているグーグルとともに「アプリストア」の市場を寡占する存在だ。開発会社は過去に、グーグルからもアプリ内決済に切り替えさせられた経験がある。

「圧倒的な力の差からアプリ提供者は泣き寝入りするしかなく、プラットフォーマーとの取引の実態は表沙汰になりにくい」。携帯電話のコンテンツ事業者などでつくる「モバイル・コンテンツ・フォーラム」の岸原孝昌専務理事は指摘する。

政府は16年、アプリ提供者らから取引状況について聞き取り調査をした。そこでは、アップルやグーグルが自らを経由しない決済手段を原則禁止し、売り上げの30％ほどの手数料を徴収していることが確認された。「アプリ審査基準が不透明で、予測や修正対応が困難」「一部のアプリストア事業者が競合アプリを制限し、競争を排除」などの声も寄せられた。

政府も、ようやく重い腰を上げた。

始まった「国家vs.GAFA」

18年7月、巨大プラットフォーマーに対する規制策の検討が政府内で始まった。国家対GAFAの「攻防」が幕を開けた。

19年3月、国会が始まる前の早朝、アップル日本法人が都内のホテルで、自民党の若手国会議員を相手に勉強会を催した。

米国本社からやって来た説明者は、競争政策の担当者。規制する側の米連邦取引委員会（FTC）にいた経歴もある「プロ」だ。勉強会の後には、政府とともに規制策を検討する同党の会議に赴き、議員からの意見聴取にも応じた。出席者によると、アップル側は「手数料はアプリの審査にかかるコストなども含まれており正当なものだ」などと主張したという。

同党はこのころ、GAFAの担当者を順番に呼んでいた。その4カ月前には、政府の有識者会議もGAFAに意見聴取をしたが、非公開だった。何が話されたのかは議事録なども公にされていない。それが、意見聴取に応じるにあたってGAFA側が求めた「条件」だったという。

彼らのサービスは日本人の生活にも大きな影響力を及ぼしているが、企業としての立場を伝える肉声は聞こえてこない。GAFAの米国本社の姿勢に加え、日本法人に実質的な権限がないことも影響しているとみられる。

政府関係者らに当たって、各社の立場を探った。

「規制そのものには反対ではないが、柔軟性が重要だ」と主張したのがグーグル。アップルは「私たちはメーカー。個人情報でビジネスをしているわけではない」との立場だった。フェイスブックは政府の会議への資料提出にだけ応じ「日本政府の検討に協力していく」との姿勢を示した。

自民党の意見聴取のみに応じ、「あらゆる規制には慎重」との立場を訴えたアマゾンを除く3社は、程度の差はあれ規制と向き合う姿勢を示したという。

では、GAFA側の心配はどこにあるのか。「欧州のような厳しい個人情報保護の規制に日本が追随すると、おひざ元の米国の議論に飛び火するのではと気にしている」。規制策の法案化を担当する経済産業省幹部はこうみる。

あるGAFA関係者はアプリ事業者らとの取引条件や、検索のアルゴリズム（計算方法）に透明性を持たせるため、中身の公開を細かく求められることを恐れている、と打ち明ける。それこそがプラットフォーマーが、取引先企業にも個人利用者にも常に優位に立つための手段であり「企業秘密」の部分だとされる。

政府は19年4月、巨大IT企業が不当な要求ができないよう取引を透明化するための新しい法律をつくったり、規制の司令塔となる新組織を内閣官房に設置したりする方針を示した。20年の通常国会に法案を提出する。

しかし、複数の関係者は、新たな規制が「そこまで厳しいものにはならない」と口をそろえる。現行の独占禁止法を補完しつつ細かいところは自主規制に委ね、違反した場合の行政処分も勧告や企業名の公表などにとどまる見通しだ。

契約条件などの明示をプラットフォーマーに義務づける規制は、すでにEUが実行に移している。加えて、世界一厳しい個人情報法令と言われる「一般データ保護規則（GDPR）」では個人情報の域外持ち出しを原則禁止し、情報を漏洩《ろうえい》させたなどの違反企業には巨額の制裁金を科す。

実際、日本の規制も「EUで進む規制の範囲内であれば、おおむね問題はない」と言い切るGAFA関係者もいる。それなのになぜ、日本の規制は「柔軟」な内容が想定されるのか。

米中のはざま「第3の道」はない

規制を巡って日本政府はまさに「内憂外患《ないゆうがいかん》」に直面している。「外」の代表格が、GAFAを抱える米国政府だ。

19年4月下旬、自民党で規制策の検討を取り仕切る伊藤達也・競争政策調査会長が米FTCと司法省の幹部の訪問を受けた。米国側は個人情報の保護を徹底する欧州の規制に「厳しい」と懸念を表明し、「日本がどこまで規制を強めるのか気にしていた」と伊藤会長は話す。

日本の動向を気にする米側の「関心」はFTC幹部と、日本側のカウンターパートである公正取引委員会の杉本和行委員長との定期協議で明らかになる。

ＧＡＦＡなどを中心としたデジタル経済に競争政策でどう対応するのか意見を交換するうち、話が米国とデジタル覇権を争う中国に及んだ。「デジタル技術で中国が中央集権的な経済体制を強化し、いくつもの市場を支配してしまう。そこに、米国の最大の危機感を感じた」と杉本委員長は振り返る。

中国では百度（バイドゥ）、アリババグループ、騰訊（テンセント）のＩＴ大手「ＢＡＴ」がＧＡＦＡに代わる存在だ。ＧＡＦＡを規制しすぎてＢＡＴを利してはならない、という意識は日米に共通する。

自民党税調会長の甘利明・元経済産業相も、米中によるデジタル覇権の行方には関心を寄せる。長く党の産業政策を担い、政府への影響力も強い。共産主義体制下で13億人のデータが国家に集約されて効率的に経済をまわす「デジタル国家主義」への警戒を隠そうとしない。

「米中のはざまで、日本に第三の道はない。だとすれば、いろんな問題を抱えていてもＧＡＦＡの傘下に入らざるを得ないことを認識する必要がある」と強調する。

「内」に目を転じると、ＧＡＦＡが多くの日本企業に成長の機会を与えているのも事実だ。

あるGAFAの米国本社との水面下でのやり取りで「自分たちは日本経済に貢献している」との日本市場での存在感の大きさをアピールされ、「自分たちが日本への関心を失ったら取引先はどうなるんだ、という『脅し』にも聞こえた」と証言する日本側関係者もいる。

国内にも楽天やヤフーといったプラットフォーマーが存在する。産業を育てる観点でみれば、プラットフォーマーへの厳しい規制が「自分の首を絞めかねない」（政府関係者）ことも考慮せざるを得ない。

米中の超大国とその巨大プラットフォーマーにはさまれ、EU流の厳しい規制にも米国流の自由なイノベーション促進にもかじを切れず、その間でバランスを取ろうとして全方位に目配せをした結果、腰の引けた「玉虫色」の規制策ができあがる可能性さえある。

政府の規制策を検討する有識者会議の委員だった一人は「プラットフォームのアルゴリズムは私たちの自由を縛る新たな『法』ともいえる。この『法』が不透明で、私たちの関与なく、一方的に押し付けられるのは問題だ。EUの規制を念頭に議論をしてきたが、プライバシーや消費者保護について日本は遅れている部分がある。このまま放置されるのではないかと心配している」と話す。

論点⑮ スマートシティーはユートピアかディストピアか

膨大なデータの源泉として「街」に注目が集まってきた。問題になるのが、街で得られるデータの扱いだ。企業が自由に使っていいのか、自治体が管理するのか？　論争が起きたカナダ・トロント市を、日本は「対岸の火事」として見られるのだろうか。

企業主導の街は「宝の山」

周囲の街並みからはやや浮き立つように、白を基調とした真新しい住宅が規則正しく並ぶ。三角屋根に取り付けられた太陽光パネルが、照りつける日差しを反射する。公園では子どもたちの遊び声が響き、そばで親同士が談笑していた。

パナソニックが中心になって神奈川県藤沢市にあった同社工場跡地につくりあげている「Fujisawa サスティナブル・スマートタウン（SST）」だ。東京ドーム4個分の広さの土地では14年から入居が始まり、約560世帯1800人以上が暮らしている。分譲価格は周辺よりも2割以上高いという。そのブランドを支えているのが、先端技術を生

パナソニックなどが開発した藤沢SST。同じ色合いで並ぶ住宅の屋根には太陽光パネルがめだつ＝神奈川県藤沢市

かした「暮らしやすさ」だ。

公園の防犯カメラの映像はリアルタイムで自宅テレビとつながっていて、子どもたちを見守れる。各戸の電気の使い方は、どの部屋でどんな機器をどれくらい使ったのかまで分析。届くリポートを省エネに活用できる。

そのようにして得られるさまざまな個人データは、住民の同意を得た上でSSTの運営会社に集まる。企業からみれば、新商品やサービスを開発する「宝の山」だ。電気のデータなら、住民が家にいるかいないかがたちどころに分かるため、見守りサービスにつなげることも考えられる。

しかし、運営会社のトップ、荒川剛さんはこう強調する。「テクノロジーありきでは理解は得られない。実際に藤沢では、住民の利益にならないものは実現せずに、はじかれてきた」

新しいサービスを提供するときは、パナソニックのほかヤマト運輸や東京ガス、綜合警備保障（ALSOK）など18の民間団体に藤沢市や慶応大SFC研究所も加わったSSTの協議会で検討し、試されるという。

「例えば、許可が得られた住民の情報を配送サービス会社と共有し、効率的な配達に役立ててもらうことも考えられる」などと荒川さんは思いを巡らす。

パナソニックはすでに、個人データを使った実証実験を始めている。空調や照明、音楽の組み合わせによって、質の高い睡眠に誘導する取り組みだ。同意の得られた約30世帯を対象に、自宅ベッドの下に体の動きを検知できるセンサーを設置し、眠りが深いか浅いかのデータをとっている。いずれは商品づくりに結びつける考えだ。

22年には大阪・吹田の工場跡地でも「健康・医療」をテーマにした新たな街を開く予定だ。街中から膨大なデータを集めれば、さらに先進的なサービスを生み出すことができる。

企業主導でゼロから街を起こし、運営まで手がける「藤沢モデル」は、国内だけでなく海外からも注目を集める。

18年、米グーグルの関係者が荒川さんらのもとを訪れた。巨大IT企業「GAFA《ガーファ》」の一角がなぜ、街づくりに関心を持つのか。

「都市データ」巡る攻防

トロント市の南の端に広がる北米五大湖の一つ、オンタリオ湖に沿った道路を、工事車両が砂ぼこりを上げて走り抜けてゆく。

かつて工場などが並んだ土地について、トロント市や同市のあるオンタリオ州、カナダ政府でつくる開発機関「ウォーターフロント・トロント（WT）」が17年、再開発をスタートさせた。

計画案を募集し、グーグルを傘下に持つアルファベットの子会社「サイドウォーク・ラブス（SWL）」が選ばれた。19年6月、具体的な計画が明らかになると、世界的な注目が集まった。

計画では、例えば道路や信号機などにセンサーを設置し、道を行き交う人や自転車、車の動きなどすべてをデータ化する。街の中の道路を歩き、店舗に人が入れば、それまでの動きがすべてデータとして蓄積される。SWLはこうした「都市の物理的な環境」から得

スマートシティーのイメージ

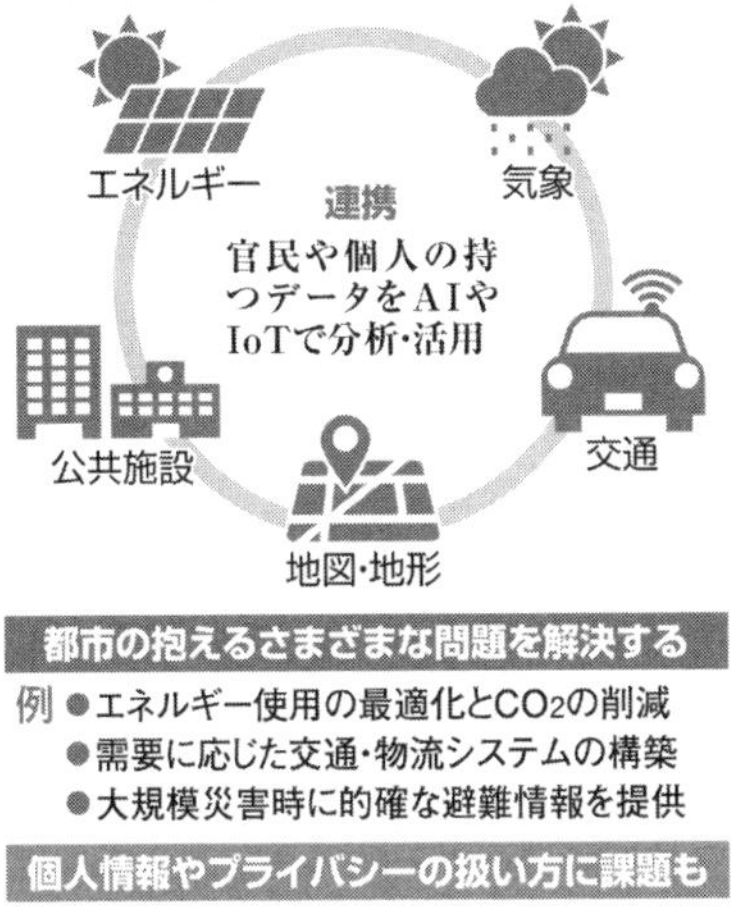
エネルギー
気象
連携
官民や個人の持つデータをAIやIoTで分析・活用
公共施設
交通
地図・地形
都市の抱えるさまざまな問題を解決する
例 ●エネルギー使用の最適化とCO_2の削減
●需要に応じた交通・物流システムの構築
●大規模災害時に的確な避難情報を提供
個人情報やプライバシーの扱い方に課題も

られるデータを活用しようとしている。

建設予定地に建つSWLの展示場で、広報担当者がスマートシティーの完成予定の模型を指さしながら説明してくれた。

「電力網のほか、地下にはゴミ処理設備、雨水の処理システムなど最新のインフラ設備を設置する予定です」。それぞれをネットでつないでエネルギーの効率化を追求する。新しい工法でコストを抑えた木造の建築で、約3千戸のマンション、オフィスや店舗を作る。街中にセンサーを張り巡らせて歩行者や車などのデータを集め、通行量に合わせて車線数を変えるなど、交通も最適化するという。

そんな説明から見えてくる未来図は「ス

マホのような街」とも言える。

スマートフォン上で閲覧ソフトやゲーム、動画など多くのアプリが動くのは、グーグルの「アンドロイド」といった基本ソフト（OS）のおかげだ。同じように、SWLが都市向けのOSを提供し、その上でさまざまな会社が自動運転車で配送サービスを展開したり、自転車のシェアサービスを提供したりする――。そんな未来も見える。新都市から生まれる新たな技術を知的財産化し、ほかの都市にライセンス販売することも視野に入れる。

SWLは、計画段階だけで5千万ドル（約54億円）の投資を約束。WTのクリスティーナ・バーナーさんは言う。「スマートシティーの先駆者になるチャンスだ。自治体の資金が限られている中で、こんな計画を実現する方法が他にあると思いますか」

ところが住民からは、大きな批判が巻き起こった。

「トロントの中に監視都市ができあがるのでは」「そこまで大量のデータを集める必要がどこにあるのか」。19年10月上旬の夜、仕事帰りの人や学生ら約70人の老若男女がトロント市内の住宅地に集まり、口々に不安を訴えた。

計画では、道路や公園など公共の場所から大量のデータを収集する。SWLはこうしたデータを、本人の同意が事前に得られない「都市データ」と名付け、「匿名化した上で誰でも使えるようにする」とし、既存の個人情報保護法などとは別の枠組みで管理すると提案していた。

しかし、オンタリオ州のブライアン・ビーミッシュ情報プライバシー委員長は「これまで、プライバシー保護の対象は、主にスマートフォンなどから生まれる個人情報だった。都市から生まれるデータを丸ごと保護することは、想定してこなかった」と話す。計画が実現して「都市OS」が定着すれば、スマートフォンで起きた「プラットフォーマーの支配」が都市全体に及ぶことになりかねない。

さらに、SWLが当初の開発対象からエリアを大幅に拡大させる計画を出してきたことも、非難を浴びた。

身内からも批判の声が上がった。個人情報保護の専門家であるSWLの相談役が18年10月、「このままではプライバシーが守られる保証はない」と辞任。ほかにも、WTの理事や諮問機関のメンバーなど、建設計画の関係者が次々と辞任する異例の事態に陥った。

19年8月にはWTの諮問機関が「現在の計画では、デジタル戦略について詳細な情報がなく、情報開示も不十分」として、具体的な計画を示すよう求めた。

19年10月末、WTは理事会を開催。計画を進める決定をしたものの、SWLの計画を大幅に縮小し、主導権は自治体側が握ることなどを確認した。当初の開発対象エリアについてのみ開発を認めること、SWLが提案した「都市データ」という区分もやめ、都市空間のデータは既存の法制度のもとで自治体が管理するとして不安の払拭《ふっしょく》を図った。

WTは「まだ最終的な合意ではない」とも強調。最終案の取りまとめまで、市民の意見を聞く姿勢を示している。しかし、個人データの問題に詳しい米数学者のキャシー・オニールさんは指摘する。「データが匿名化されても、複数のデータを組み合わせることで、行動や病気などが予測できたり、人が分類され、不公平な扱いや差別を生んだりする可能性は十分にある」

地元紙によると、SWLは、当初トロントでの計画に計13億カナダドル（約1080億円）の資金を投じる考えも示していたという。

「われわれの目標はトロントにスマートシティーを作ることではなく、世界中にスマートシティーを建設することだ」。SWLで運輸部門を担当するアンドリュー・ミラーさんは野心を隠そうとしない。トロントを「実験場」にして、そこで得た知見をほかの都市へと広げるのが狙いだ。

どういった都市を狙うのか、ミラーさんはいくつかの条件を挙げた。「土地開発の余地がある港湾都市、テクノロジーの活用に熱心な自治体、IT人材が豊富にいる街。こうした場所はわれわれにとって非常に魅力的だ。多くの自治体から一緒に組みたいと話が来ている」

「どんな課題を解決するのか、不明確」な日本政府

税収難に悩む日本にとっても、スマートシティーは「打ち出の小づち」になるのだろうか。

政府は18年、「スーパーシティ構想」を公表した。国家戦略特区制度を使って自動走行や遠隔医療、エネルギーの最適化、キャッシュレスなどの先端技術を集め、都市問題の解決を図る。自治体が持つ行政・住民データや企業が持つデータ、さらには住民の個人データまでも横断的に収集・整理し、データを連携させて新たな住民サービスを生み出す、とした。

ところが、19年の通常国会に提出された国家戦略特区法の改正案は廃案に。内閣府の村上敬亮《けいすけ》審議官は「データを分野横断的に使おうという手法だけが先行している」と打ち明けた上で、さらにこう認める。「地域のどういった課題を解決したいのかが重要なのだが、

そこがまだ不明確だ。自治体への聞き取りなどではっきりさせていきたい」

さらにスマートシティーの推進には、参加する企業や団体が多くなるだけに、個人データの流通をどう適切に管理していくのかを詰める作業が不可欠になる。

中国・杭州市ではアリババグループがＡＩを駆使し、カメラ映像から異常のあった車両を警察に自動通報したり、交通状況に応じて信号機の点滅を切り替えたりしている。ＡＩやビッグデータを使って、何もない場所に新しい街を生み出したり、既存の都市を根本からつくり変えようとしたりする動きは、世界で広がっている。

あらゆるものが「つながる」街、スマートシティーは革新的なサービスを生む可能性がある半面、なし崩し的な情報収集やそれらが知らぬ間に共有される恐れとも背中合わせといえる。

個人データは、匿名化などによって権利が侵されない形で広く流通させるのか、あくまで個人の同意を必要とするかの「大きな分かれ道」が訪れる――こう予測するＫＤＤＩ総合研究所の小林亜令さんは言い切る。

「私は個人がコントロールできる状況が望ましいと思っています」

論点⑯ 私たちの「信用」がスコア化されて起きること

大量のデータの分析を得意とする人工知能（ＡＩ）は、プロフィルなどを使ってその人の「信用度」さえも数字にしてしまう。機械が人間を格付けする「スコア社会」は、日本にも広がるのか。

結婚相手はスコア次第

姉と一緒に家を探していた中国・北京市の女性（24）は50歳代の男性大家からこう求められた。「あなたたちのゴマ信用のスコアを見せて」

ゴマ信用は、中国ＩＴ大手アリババ集団の子会社アント・フィナンシャル・サービス・グループが15年に始めた金融サービス。個人の信用が３５０〜９５０点で表される。

女性の点数は５００点前後とそう高くはない。一緒に部屋を借りる姉が７００点前後と高く、女性も有名企業の従業員であることから結局部屋は借りられた。「大家さんはゴマ信用を安心材料にしているようだった」と女性は言う。

スコアをもらうには身分証、運転免許証、クレジットカード、所有する不動産などのあらゆる個人情報をゴマ信用のアプリに入力する。アリババのネット通販の利用状況のほか、「借金返済の延滞の有無」「資産状況」「学歴」なども合わせ、ＡＩが毎月６日時点でのスコアをはじき出す。

スコアが高いと、ホテルの宿泊や自転車の共有サービスで保証金がいらず、飲食店などでの割引も受けられる。カナダのビザ申請の資料にもなる。メリットはそれだけではない。

「お母さんが『うちの娘と恋愛するなら、ゴマ信用のスコアを見せなさい』と（娘の交際相手に）聞く」。アリババの馬雲《マーユン》（ジャック・マー）会長は17年1月、スイスで開かれた世界経済フォーラム年次総会（ダボス会議）でこんな「予言」をしてゴマ信用を宣伝した。

アリババの18年3月期の売上高は２５０２億元（約4兆2千億円）と前年より58％増えた。急成長を背景に、若者から神聖視される馬会長の発言通り、点数で個人が評価される「スコア社会」が生まれつつある。

「人は元々悪いことをする」という性悪説が根強い中国では、踏み倒しや盗難を防ぐために保証金をとるのが慣例だった。ゴマ信用が個人の信用を見えるようにしたことで、ビジネスはスムーズに進むようになった。スコアが下がることを恐れ、法律やルールを守る人が増えたためだ。

「結婚相手の男性を探す女性に、お母さんが『人民銀行にある相手のクレジット報告に目を通しなさい』と教えている」。中国人民銀行の陳雨露副総裁は19年3月の記者会見で語った。

日本にもある金銭貸借の信用記録は、中国では中央銀行の中国人民銀行が管理しているが、ゴマ信用の普及で人民銀の信用記録にまで脚光が当たる。

中国政府も信用に関与を強める。中国政府は信用について古くからひそかに着目しており、07年に社会信用体系の建設に関する会議を設置して議論を重ねてきた。政府の施政方針となる19年3月の政府活動報告では初めて「信用の監督」が提起され、信用スコアを政策に応用する方針が示された。

すでに17年には浙江省杭州市や江蘇省蘇州市など全国12都市が先例として住民の信用評価システムをつくる都市に指定された。納税状況からお金の貸し借り、ボランティアへの参加、刑事事件の判決など行政が得る個人情報を一括して、住民に点数を与えるシステム作りが始まっている。

政府の統制はゴマ信用など民間の信用評価にも及ぶ。18年1月には、政府が設立した金融協会がゴマ信用など民間の信用評価会社とともに「百行クレジット」を立ち上げた。各社の信用情報を共有し、民間の集めた個人の信用評価情報を集中管理する狙いだ。

ただ、行政が信用の評価に関わると、懲罰に結びつきかねない。古くから信用スコアを導入している江蘇省では16年、蘇州市の企業の代表者が過去の優良な納税経歴を評価されて30点を得た。通常なら入れない学校に娘を入学させる資格を得たが、年間の営業報告を期限までに出せずに一時、加点が取り消され、娘が入学できなくなりそうになる事態が起きた。

行政の信用評価は民間の評価より影響が大きい。共産党と政府が一心同体の中国では、政治的な意図が評価に入り込む恐れもある。

「スコアが700点を超えれば信頼できる。安心してお金も貸せる」。中国中部の河南省在住で、アリババのネット通販に出店する劉兵さん（46）は、新たに知り合った人からはゴマ信用の点数を聞き出すようにしている。

劉さん自身は好スコアと言われる700点をはるかに超える778点。「約束を守って行動することでスコアが高まる。皆がそうすれば、社会はどんどんよくなる」と劉さんは肯定的だ。

しかし、スコアで新たな秩序を作ろうと意図することは、点数による「階級社会」を生む危うさと表裏一体でもある。

「点数が出ると上をめざしたくなる」

スコア社会の波は、日本にも届いている。

東京都内に住む会社員男性（38）は、みずほ銀行とソフトバンクが出資する個人ローン「Ｊスコア」を試してみた。自分の信用度がＡＩにどう採点されるのか、興味を持ったからだ。

同社のホームページから進むと、ＡＩとのチャット（会話）形式でやり取りが始まった。「性別を教えてください」「現在の勤務形態は」。居住地域や勤続年数などを答えていくと、数分で最初の結果が出た。１千点満点中６０５点だった。追加の質問に答えると、さらにスコアを上げられるという。

次に進むと、生活習慣や買い物の仕方など、質問はさらに具体的に。出身高校や大学、家にあるテレビのサイズ、持っているゲーム機の種類――。お金の返済能力とは関係がなさそうに見える問いもある。それでも男性は「画面も見やすい。ゲーム感覚でできる」と

Jスコアの「AIスコア」のしくみ

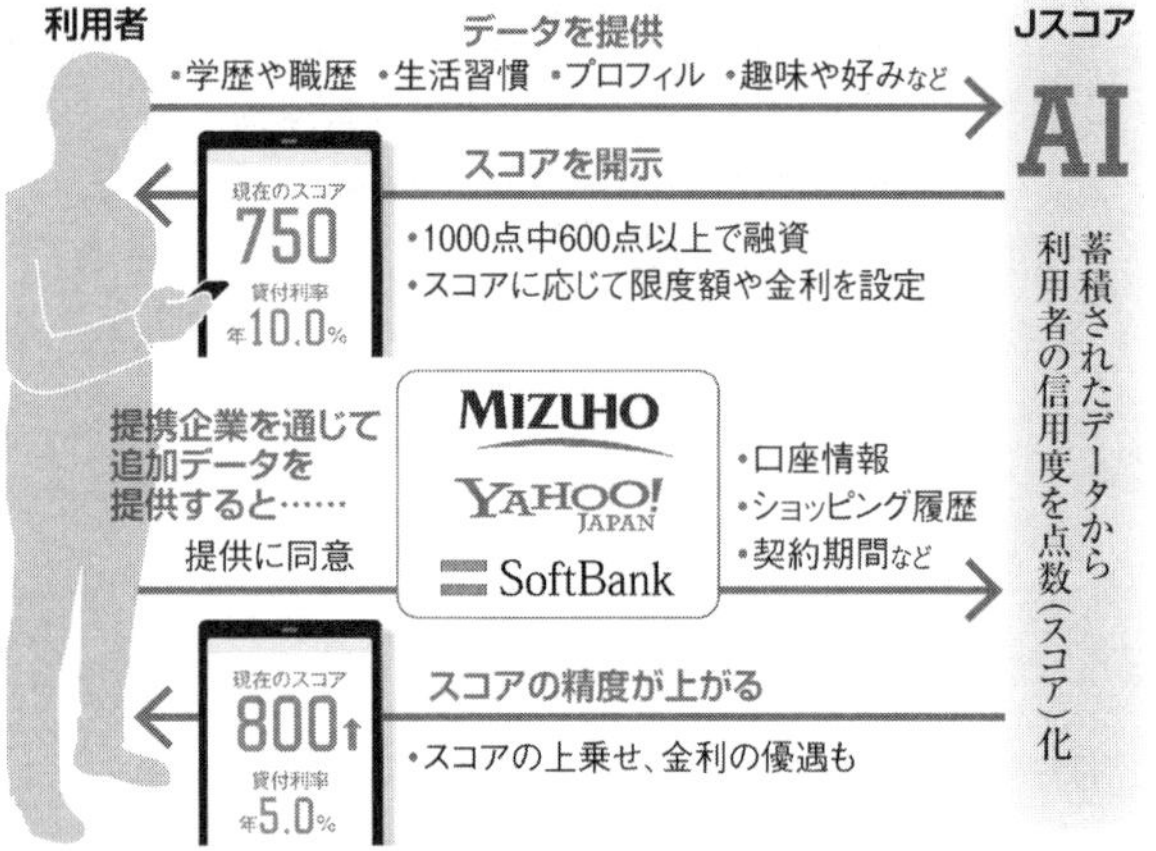

楽しんだ。

約20分間で１００余りの設問に答えた結果、スコアは６５１点に上がった。１００万円まで、年12％の金利で貸してくれるという。「点数が出ると、やっぱり上をめざしたくなる」

質問は18の基本情報に加え、生活習慣など約１５０に及んだ。どの回答がどう評価されたのかは分からない。似たような質問が複数あったのは「うそ発見器のような分析をしているのかも」と感じた。銀行口座やオンラインショッピングに使うアカウント情報などを提供すればさらにスコアが上がる可能性もあったが、「さすがにやりたくないですね」。

17年9月に事業を始めたJスコアでスコアを取得した人は19年4月までに50万人に達した。めざしたのは、これまで不透明だった融資基準の「見える化」だという。スマホの普及や記録のデジタル化、コンピューターの能力向上で大量のデータ分析が可能になった。大森隆一郎社長は19年2月、朝日新聞のインタビューに応じ、「AIが分析するスコアを、若い世代が前向きに受け止めてくれた。AIの技術革新で精度の高い判断ができるようになり、数字をオープンにできるようになった」と手応えを語った。

金融業界ではAIの導入によるスリム化が進む。メガバンク各社はすでに大幅な人員削減を発表している。大森社長は「AIを活用すれば、金融は収益構造のよい、成長産業として生まれ変われる」と話す。

18年10月からは、スコアを使った提携も始めた。提携企業は、同意した利用者のデータにアクセスでき、特定の層を狙った販売促進に活用できる。利用者には割引クーポンや英会話の無料レッスンなどの特典を与えるしくみだ。将来は信用データそのものを商品化し、有料で多くの企業にスコアを提供していきたいという。

スコアで優遇される人が出る裏で、スコアによって不利益を受ける人が出てくる恐れはないのか。大森社長は「差別につながるような業種とは組まない」とした上で、こう説明した。「日本は（政府がスコアを利用する）中国のようには絶対にならないと思います」

日本では抵抗感強く

Jスコアだけでなく、NTTドコモやLINE、ヤフーなどで信用スコア事業に参入する動きは広がる。

ドコモは携帯料金の支払い履歴などを使って、LINEはアプリの行動傾向データなどからスコアを算出して、金融機関での融資判断の材料にする考えだ。ヤフーもネットの購買履歴などからスコアを算出して、スコアに応じて先行予約できるようなしくみを検討している。個人情報のビッグデータを元にした「格付け社会」は普及するのか。

IT決済サービスのネットプロテクションズが19年2月、722人を対象にネットで調査したところ、信用スコアが普及することに「賛成」が35%だったのに対し、「反対」は65%。反対の理由について「監視されているようで気持ち悪い」「個人情報の共有に抵抗感がある」が半数を占めた。

同社の秋山恭平シニア・プロデューサーは「個人情報を提供する見返りがわかりにくく、目的外で勝手に使われることに不安もある。日本社会で浸透していくにはまだまだ課題も多い」とみる。

点数が独り歩きすることへの懸念もある。慶応大の山本龍彦教授（憲法）は、企業の採用活動や婚活サイトなどで差別につながるようなスコア活用が無制限に広がるおそれを指摘。スコアを提供する事業者がスコアの利用目的を限定するとともに、利用者になぜその点数になったのかを説明するしくみを整えることが重要だと指摘する。

「点数の低い人が理由も分からないまま、仮想空間上で排除される『バーチャルスラム』を生み出しかねない」

論点⑰「結婚をDNAで決める」は正しいか

――究極の個人情報・遺伝子

氏名や住所と違い、一生変えられない「究極の個人情報」と言われる遺伝子情報が、結婚相手選びや迷宮入り事件の解決に使われ始めた。身近になる遺伝子検査に潜む落とし穴とは――。

DNAは「運命」を決める?

結婚を夢見る女性たちに呼びかけるには、似つかわしくない言葉だった。

「唾液《だえき》をとって、ポストに入れてください」

19年9月初めの日曜日、横浜港に停泊した豪華客船ダイヤモンド・プリンセスで、男女が交際相手を探す婚活クルーズの下見会があった。結婚相談所「ノッツェ.」を展開する結婚情報センター（東京）が主催し、韓国や長崎を10月末から船で回った。

この日の下見会は女性が対象で、8人が参加した。船内のカジノや劇場などを見た後、ラウンジに集まった女性たちに配られたのは、小さなポリ袋に入った遺伝子検査キット。

「DNAの数値をコンピューターで分析して相性が合う1番、2番の男性を紹介します」と田山純子法人事業部長が説明した。

「婚活は初めて」という30代前半の女性会社員は「生物として相性が合う人がどんな人なのか知りたい」と参加を決めた。司会業の女性（48）は「自分では結婚相手を見つけられなかった。DNAを頼りにしようと思って」と話す。「占いのようなものです」という会社員の女性（31）もいた。

結婚相手にも科学的な根拠を求める時代なのだろうか。「これまで相手を選ぶ条件だった経歴や見た目という壁をとっぱらった。DNAは誰にでもあり、相性のいい人が必ず見つかる」と田山事業部長は力を込める。

この年1月から同社が始めたDNAの相性でお見合いするコースには、数百人の男女が参加している。

相性を判断する根拠にしているのが、免疫をつかさどる「HLA」遺伝子のタイプ。遺伝子検査を手がける医道メディカル社長で医学博士の陰山康成氏によると、約1万6千通りあり、タイプが「似ている」異性ほど相性が悪く、「似ていないほど」相性がよい。「例えば、自分とかけ離れたタイプの男性が2晩着用したTシャツの匂いを、女性が好ましいと感じた実験結果をまとめたスイスの論文があります」

埼玉県深谷市に住む自営業の女性（32）は、DNAコースに参加して半年になる。遺伝子の相性がいいと判断された7人の男性と会い、2人の男性とデートした。だが、その後は都合が合わなかったり、会話が弾まなかったり。「運命の人」とはまだ出会えていない。「どうせ婚活するのなら楽しい方がいいと思って。でも実際に会うと、いろいろな人がいる。DNAは一つのきっかけで、すべてではありません」

遺伝子検査には
さまざまなタイプがある

武藤香織・東京大教授の分類による

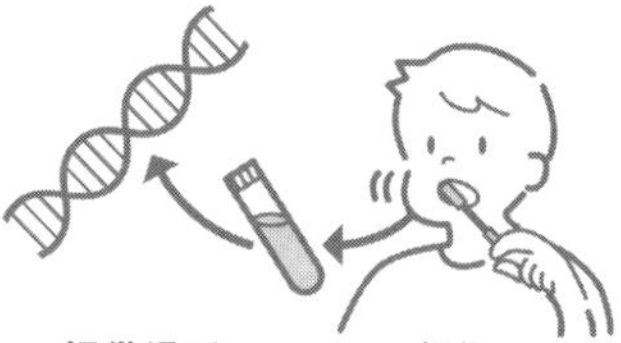

	提供される検査	提供場所	根拠
診断的検査	病気の診断	医療機関	独立行政法人「医薬品医療機器総合機構」（PMDA）が審査し、厚労相が承認
消費者向け遺伝子検査	体質検査や病気になるリスク予測、祖先推定、親子鑑定など	・通信販売など ・医療機関や健診機関 ・小売店やエステ、スポーツクラブなどで購入	海外の論文など事業者独自に選定

婚活にまで使われるようになった遺伝子検査が普及したのは、00年代に入ってからだ。医療の診断に利用されていた遺伝子検査が解析技術の進歩で、肥満体質や生活習慣病のリスクをみる消費者向けビジネスに発展した。経済産業省の15年の調査で、検査キットをつくる企業は国内に53社ある。

大手のジェネシスヘルスケア（東京）は04年に設立され、80万人近くの遺伝子情報を保有する。日本人のものとしては最大級というデータベースを利用して19年春、製薬や食品会社などに個人の情報を販売するサービスを始めた。

匿名で研究開発に利用することに同意

した個人はポイントを受け取り、同社の解析サービスを受けられる。近く楽天のポイントにも交換できる予定だ。

20年には、病状の進み具合などをアンケートで、心拍数や消費カロリーなどのデータをウェアラブル端末で集め、遺伝子情報と合わせて人工知能（ＡＩ）で分析。個人向けに生活改善をアドバイスするサービスも始める。

同社の萩迫孝弘執行役員は「さらに病気の経年データ、生活習慣などの後天的なデータを集めれば、病気のリスクを予測する精度は高まる」と話す。「何歳でどんな病気になるのか。やがて、わかる世界が来ます」

手軽に受けた遺伝子検査で、究極の個人情報を集めたデータベースがつくられる時代。どんな未来が待ち受けるのか。

81歳がつくったＤＮＡデータベース、60件の難事件を解決

米東海岸のフロリダ州レイクワースに住むカーティス・ロジャーズさん（81）が、趣味で始めたサイトの「力」を実感させられたのは、18年4月のことだ。

「大量殺人容疑の元警察官を逮捕」。カリフォルニア州で30年以上前、13人以上の殺人や

50人以上への性的暴行などをした容疑者が捕まった――。テレビのニュースがそう伝えていた。ロジャーズさんは「まさか」と思った。

やはりというべきか、翌日、旧知の遺伝学者からメールが届いた。「あなたのサイトが捜査に使われたようだ」

ロジャーズさんは10年から、DNAデータで血縁関係のある人たちを見つけられる「GEDmatch《ジェッドマッチ》」というサイトを運営している。登録されているDNAは19年7月下旬現在で約120万人分にのぼる。これに家系図などを使えば、さらに多くの人がつながる。

さまざまな人種が混じる移民大国の米国では、見知らぬ親類や祖先を探す人が少なくない。もとは食品関係のビジネスマンだったロジャーズさんも、幼いころから親戚探しが好きだった。その趣味が高じて始めたのが、このサイトだった。

民間の遺伝子検査会社は、唾液などのサンプルを送ると、病気のリスク以外にも「14%イタリア系」「6%イギリス系」などと祖先の系譜を調べてくれる。

そのデータをロジャーズさんのサイトに入れると、1人平均3千人くらいの血縁関係者が見つかるという。どの染色体が誰とどの程度一致しているかまで一目でわかるしくみだ。

サイトの利用者は、名前とメールアドレスを登録し、連絡を取り合える。基本的な利用は無料で、月10ドルの有料会員になると検索範囲を広げられるしくみだ。4人が遠隔でボランティアとしてサイトを支える。広告は取らないため、サイトの維持費などをまかなうのは、約7千人の有料会員の会費収入のみだ。

これに捜査当局が目をつけた。現場に残されていた容疑者のDNAをロジャーズさんのサイトに入れたところ、一部が一致する人物が見つかった。それが突破口となり、その人物のいとこだった容疑者の逮捕に至ったという。

利用者が増えるにつれ、サイトは親類との交流だけでなく、思わぬ用途にも使われるようになっていた。養子で実の親を知らなかった人が両親を探し出したり、幼いころ誘拐された女性の身元が判明したり。「たくさんの人から、感謝のメールが届くのがうれしかった」と打ち明けるロジャーズさんも、知らない間にサイトが捜査に利用されたことに困惑する。見知らぬ親戚が登録した遺伝子情報から事件に巻き込まれ、プライバシーを侵害されたと感じる利用者が出てくるかもしれないからだ。

「DNAは未来の世代にも関係する。責任の大きさを感じる」。19年春、ロジャーズさんは利用規約を変え、利用者が自ら「情報が犯罪捜査に利用される可能性がある」という項目に同意しない限り、捜査関係者から情報が見えないようにした。

それでも、最初のカリフォルニア州の事件から1年ほどで、サイトを通じて約60件の未解決事件の容疑者が逮捕された。「サイトがこんな力を持つ日が来るとは、今も信じられない時があります」。ロジャーズさんは今では、遺伝子学者や捜査当局との会議に頻繁に呼ばれ、意見を求められる。

「外に出たテクノロジーはもう元に戻せない。いかに正しく使われるかに尽力するのみです」

差別禁止、法整備……後手に回る日本

遺伝子操作で生まれれば「適正者」、自然に生まれれば「不適正者」。米国のSF映画『ガタカ』は、遺伝子により一生が決まる近未来で差別に苦しむ青年の姿を描いた。

今でも、就職や保険の加入などで差別を受ける恐れはある。厚生労働省の研究班が実施した17年のネット調査では、回答者約1万人のうち約3%が「遺伝子情報に基づく不適切な取り扱いを受けた」と答えた。最も多かったのは「家族の病歴」だった。

米国は08年、遺伝子情報による差別を禁止する法律を制定。韓国やフランスも法律で禁じるが、日本は法整備が追いついていない。

18年にできた超党派の国会議員連盟が国会提出をめざすゲノム医療推進法案は、遺伝子情報による差別を禁じ、消費者向け検査サービスにも「質の向上」を求めるが、具体的な禁止事項や罰則は明記されない見通しだ。

遺伝子検査にもいくつかタイプがある。病気の診断のため行うものもあるが、消費者向けの検査は病気のリスクが「高い」と出ても発症するとは限らない。

東京大の武藤香織教授（研究倫理）は「遺伝学的検査を含むゲノム医療と、非医療分野の『検査』との違いがわかりにくくなっている」と指摘。「診断ではありません」「会社によって答えはバラバラ」など、消費者向け検査の注意点として10項目のリストをつくる。

ゲーム会社ＤｅＮＡの子会社で、遺伝子検査を手がけるＤｅＮＡライフサイエンスは、根拠の論文や算定方法をネット上で公開する。大井潤・代表取締役は「利用者に誤解を与えないしくみが大切だ」と語る。

行政の対応も後手に回る。米国は、祖先判定などを除き、遺伝子検査の科学的根拠やキットについて食品医薬品局（ＦＤＡ）が規制する。日本では病気の診断に関する検査は厚労省、消費者向けは経産省と管轄が分かれている。

北里大の高田史男教授（遺伝医療政策学）は「一部の遺伝病を除き、体質や多くの病気のかかりやすさは、人体に2万以上ある遺伝子の1、2個、しかも1個の遺伝子当たり数千から数十万以上あるDNAのたった一つや二つの違いだけで決まるものではない。飲酒や喫煙など生活習慣の方が大きく影響する」と語る。「人間の健康や安全に関わる遺伝子検査は、医療もビジネスも統一の基準で監督すべきだ。ダブルスタンダードではいけない」と訴える。遺伝子情報を生かし、支配されない備えが待ったなしだ。

論点⑱ AI監視は社会の守護神か悪魔の手先か

画像処理を得意とする人工知能（AI）が登場し、街中の監視カメラで瞬時に個人を識別して追跡もできるようになる。治安向上に役立つ一方で、「監視社会」の不安が人々の身の回りに忍び寄る。

ドラゴンボールの世界が現実に

約6万人の熱気に満ちるコンサート会場の舞台裏で、たった1人を巡る追跡が静かに進んでいた。

18年4月、「香港四天王」と呼ばれた歌手、張学友（ジャッキー・チュン）さんのコンサートが中国・江西省南昌市で開かれた。入り口では監視カメラが聴衆を出迎え、次々に顔を撮影。警察が持つ逃亡犯の顔写真データとＡＩが照合を重ねた。警察官が観覧席から逃亡中だったとされる男を連行したのは、開演の少し後だった。

１９９０年代に大ヒットを飛ばしたチュンさんは、中国の地方都市でコンサートを開くことが多い。監視の目を避け、地方に潜伏している逃亡犯が、懐かしさもあって駆けつける。それを監視カメラとＡＩが一網打尽にする――。南昌市を皮切りに、チュンさんのコンサートでは、逃亡犯が次々と捕まった。２０１８年12月下旬時点で中国メディアがまとめたところ、その数は全国で約60人に上った。

警察が中国全土に張り巡らせる監視カメラのネットワークは「中国天網」と呼ばれる。国営中央テレビは17年、その数が2千万台を超えると伝えた。天網以外も合わせると、中国内には2億台近い監視カメラがあるとされる。

「治安コントロールシステムを刷新して完全に情報化し、人民大衆の安全感を高めなければならない」。習近平《シーチンピン》国家主席は19年1月、こう指示を出した。ＡＩをも活用する中国の監視システムの進化はとどまるところを知らない。

19年は2月にあった春節（旧正月）。帰省でごった返す大都市の駅で、群衆に目をこらす警察官が特殊な眼鏡をかけていた。前方をとらえるカメラがついているとは思えないぐらい、軽い。これが、携帯できる監視カメラの役割を果たす。

開発したのは亮亮視野という北京のベンチャー企業だ。レンズには文字が映し出され、逃亡犯ら登録した人の顔が見えると四角い枠が現れて赤く光る。登録がなければ、警告は出てこなかった。

もともと同社は、現実の視界に仮想の映像を映し込ませる拡張現実（AR）を楽しめる眼鏡を作っていた。警察向けに監視に使えるようにと改造した。

取引先に説明しても、最初は何に役立つのか理解されなかった。同社の呉斐・最高経営責任者は笑う。「サイヤ人がかけているあれですよと言うと、わかってもらえた」

サイヤ人とは、アニメ「ドラゴンボール」に出てくる宇宙人。目に装着したレンズ「スカウター」を通じて、敵の力を把握できる。

そんなSFのような機器さえ、犯罪捜査に使われ始めた中国。15年初めごろまで各地で起きていた切りつけ事件や襲撃事件は、監視カメラの普及など治安強化が目に見えて進んだ結果、ほとんど聞かれなくなった。監視カメラが密集する北京市中心部は今や、夜中に一人で歩いても安全とさえ言われる。

撮られる側からは反発の声はほとんど聞かれない。背景には中国の伝統的な文化もありそうだ。「衣食住を満足させてくれさえすれば、庶民は政府を支持してきた。政府の対応が権利侵害にあたるかを考える西側とは違う」と話す。

「防犯」なら告知不要

日本国内でも、顔認証システムは身近なところに入り込んできている。さまざまな人が出入りする書店もその一つだ。

丸善ジュンク堂書店は、全国の店舗に顔認証システムを導入した店が60を超える。警察に被害届を出した人物や、カメラ映像から犯罪に及んでいることが確実な人だけに絞って顔画像を登録しているという。

ただ、店で顔認証システムの存在を知らせているとはいえ、エスカレーターの乗降口付近に小さな文字で掲示されるなど、気づきにくい。ホームページなどで告知しているわけでもない。どのようにシステムを運用しているのかや、犯人と疑うに足る基準がどうなっているのか、内規はあるものの周知はしていない。

丸善ジュンク堂書店などに顔認証システムを納めているのが、貨幣処理機大手のグローリー（兵庫県）だ。

「要注意」として登録済みの人物が店内に入ると、システムは一瞬にしてその顔を四角い枠でマーク。モニターの左側には事前登録していた顔画像、右側には店内に入ってきた人物の画像が並ぶ。同一であることが分かる。すぐに、店員や警備員が持つ専用のスマートフォンなどに知らせた。「万引き防止」として積極的に売り込み、大手スーパーやドラッグストアなども採用。百貨店などの得意客向けサービスといった商業用も合わせると500カ所以上に導入されたという。

社会に浸透しつつある顔認証システムだが、法的な問題はないのだろうか。

個人情報保護法では、顔の特徴をコンピューター用にデータ化した「顔認証データ」は、個人情報とみなされる。データを取得する事業者は、利用目的を特定してそれを公表しなければならない。

ただ、防犯の場合は「利用目的が明らか」だとして通知・公表は義務になっていない。顔認証を使っていることを知らせなくてもいいのだ。

ＡＩなど先端テクノロジーに詳しい二木《ふたつぎ》康晴弁護士は顔認証について、指紋や静脈といった他の生体認証とは別の次元で取り扱う必要があると指摘する。「他は生体認証といえども本人による動作が必要だが、顔だけは本人に気づかれずに識別できる」からだ。

ホロコーストの記憶が原動力に

ＩＴ企業が数多く本拠を置く米サンフランシスコ市の議会は19年5月、市当局や警察などが顔認証技術を使うことを禁じる条例案を可決した。監視カメラなど「市民を監視する技術」を使う場合、市議会への届け出が必要になる。

条例によって利用や管理の報告が求められるのは、防犯カメラから生体認証システムまで幅広い。すでに使われている車のナンバー読み取り機なども、新設には市の承認が必要になる。公共の場にあるカメラなども、誰がデータへのアクセス権を持ち、誰と共有したのか、市民の苦情がないかなど、毎年詳細な報告をするよう義務づけられた。個人情報を収集、処理、保存するような電子機器やソフトをどれだけ使っているかも、市議会に開示しなければならない。

市はその時点で顔認証技術を使っておらず、条例は象徴的な意味合いも強い。では作った理由は何か。

「技術を生んでいるIT企業の街だからこそ、技術の使われ方に高い倫理性を求めている」。制定を主導したアーロン・ペスキン市議はこう話し、続けた。

「こうした技術は、政府に反対する人々やマイノリティー（少数派）を抑圧、監視する手段に使われかねないからだ」

ペスキン市議の両親はイスラエル出身で、双方の親戚をホロコーストで亡くしている。

「ナチス政権はテクノロジーを使い、ユダヤ人に関する大量の個人情報を集めていた」。知らぬ間に収集された情報が一部の市民への迫害に使われてきた歴史を、身をもって知っている。

同じような条例はカリフォルニア州オークランド市、マサチューセッツ州サマービル市などにも広がっている。しかし、条例で世界的な技術の広がりを止められるとは、ペスキン市議も思っていない。その上で、ペスキン市議はこう訴える。

「本当にこうした技術が必要なのか、きちんと議論してほしい。疑問を持つことが健全なことなのです」

論点⑲　AI兵器、「殺人ロボット」で戦争の姿は

人間の判断を介さずに敵を殺傷できる「AI兵器」が現実味を帯びてきた。登場したら、戦争の姿をどう変えるのか。「命」への責任を誰が負うのか、見えなくならないのだろうか。

戦場の敵味方、判断はAI

離れたところからコントローラーで自動モードを選ぶ。砲塔についたカメラが標的を探し始め、とらえるとモニター画面には瞬時に距離などさまざまな数字が表示された。次の瞬間、画面が揺れ、映し出された的が倒れていた。

19年6月、モスクワ近郊で開かれた防衛装備の見本市で、ロシアの兵器メーカー、カラシニコフが紹介した無人戦闘システム「サラートニク」だ。会場には、実際にカメラを備えた砲塔や小型の無人戦闘車両「ウラン－9」も展示された。

このシステムには人工知能（AI）が使われ、敵か味方か、難民かテロリストかなどを判断して攻撃する。有人の部隊とともに移動しながらの使用が想定されている。

カラシニコフが展示したロボット兵器のイメージ＝19年６月、モスクワ近郊

AI兵器開発の主なルール
特定通常兵器使用禁止制限条約の
政府専門家会合で19年8月、
合意された指針
開発から配備、使用まで人間が
関与し、責任はAIではなく
人間が負う
戦時の民間人らの保護を
定めた国際人道法などが
適用される
ハッキングや盗聴、
テロ集団に奪われたり
技術拡散したりする
リスクへの対策をとる

カラシニコフの資料から

味方や民間人を誤射することはないのか。システムがハッキングされたり、兵器が暴走したりする恐れはないのか。同社のウラジーミル・ドミトリエフ社長は朝日新聞の取材にこう答えた。「自社開発のＡＩが正確に判断する。数学に間違いは起きない」

実戦配備は、輸出の計画は……重ねて尋ねると、ドミトリエフ社長は「製造や輸出は政府が管理している」としつつ「多くの国が興味を示しているのは事実」と語った。

同社の技術力については懐疑的な専門家も少なくないが、荒唐無稽のセールストークには見えない。会場では、同社の説明に熱心に聴き入るジンバブエの政府関係者の姿も見られた。

この無人戦闘車両は18年、通信による遠隔操作ながら実戦で使われたこともある。シリアのアサド政権の後ろ盾として内戦に介入したロシア軍が、試験的に投入したとされる。そこから一歩進み、実戦でＡＩが移動や発砲の判断までするようになれば、実戦で課題とされた通信能力や範囲にとらわれない軍事作戦が可能になる。

人間を超えるAI兵器の「ルール」

このようなＡＩ兵器は専門用語で「ＬＡＷＳ（自律型致死兵器システム）」と呼ばれる。

人間が直接関与せずに敵を殺傷する「仕掛け」自体は、新しいものではない。ベトナム戦争では竹やり付きの落とし穴が使われた。地雷や冷戦以降の防空迎撃システムなど、人間の関与を限定する兵器は防御目的などでこれまでも使われてきた。兵を危険にさらさずに済むだけでなく、人的ミスの予防にもなるからと、各国の軍事当局が常に取り組んできたためだ。

しかし、ついにＡＩの進化が、攻撃を担う自律型兵器を現実味のあるものにしつつある。ＡＩの判断で自律的に動き、標的を殺傷する能力をもつドローン（無人航空機）や戦闘車両は、実用化には至っていないものの米ロや中国、イスラエル、韓国などが開発を進めているとされる。

「過去と明らかに違うのは、ＡＩの情報処理能力が人間を上回り、人間が制御したり説明したりできなくなる恐れがある点だ」

防衛省防衛研究所の小野圭司・防衛政策研究室長は自律型兵器の問題点をこう指摘する。

「技術が安く使えるようになれば、人権や軍の制約が緩い地域で利用が進んだり、テロリストの手に渡ったりする恐れもある」

ロシアの場合、シリアやクリミアなど多くの軍事作戦を同時に遂行する中、兵力が慢性的に不足がちなことが兵器の無人化や自律化をめざす背景にあると、東京大先端科学技術研究センターの小泉悠・特任助教はみる。

「ロシアはデジタル化の技術革新に乗り遅れた。だからAIと軍事技術では、ルールを作る側に回りたいという強い意志が見える」と話す。

LAWSが実戦投入できるようになれば、戦争へのハードルが下がることが予想される。その前に、開発を規制すべきだという危機感も強まっている。

地雷などを規制してきた特定通常兵器使用禁止制限条約（CCW）の枠組みを使い、スイス・ジュネーブで19年8月、政府専門家会合が開かれた。5年越しの議論を経て、人を介さずAIが攻撃を判断する「ロボット兵器」を認めないという理念に各国が合意。AI兵器の使用の責任は人間にあるなど、11項目からなる初めての指針を採択した。しかし、指針に法的拘束力はなく、条約などによる規制への道のりはまだ遠い。

政府同士の動きが鈍い中で、現実はどんどん進んでいる。「最先端技術が軍に集まる時代は終わった。AI分野は、グーグルなど民間が圧倒的に先行している」。日本政府代表団の一員として専門家会合に参加した拓殖大の佐藤丙午教授は、こう警鐘を鳴らす。

「AI兵器の開発は担えない」と、あこがれのグーグルを去る

「もし自分がAI兵器の開発に関与したら」。米グーグルで働いていたローラ・ノーランさん(39)が持っていた恐れが現実になったのは、17年春のことだった。

ある日、上司から新たな大規模プロジェクトが始まると告げられた。内容は「ドローンだ」とだけ。「兵器の開発ではないか」と同僚たちにも動揺が走った。みんなで上の部署の責任者らを何度も問い詰めると、恐れた通りだった。

グーグルは、戦場でドローン攻撃をするときに人や物を識別する画像認識の技術開発を、米国防総省から請け負っていた。「プロジェクト・メイブン」と呼ばれる極秘計画だった。

「当時は守秘義務に縛られて自分がやっていることを誰にも相談できず、悩むばかりの毎日だった」とノーランさんは振り返る。

18年3月に米メディアがこの計画を報じると、批判はグーグル社内に広がった。約4千人の社員が「自分たちの技術を兵器開発に使わせない」とする公開書簡に署名。ノーランさんもその一人になった。

抗議して幹部も辞めていく事態になり、スンダー・ピチャイ最高経営責任者(CEO)

は同年6月、「自社のAIを兵器の開発や監視技術に使わない」などとする原則を発表した。ただし、国防総省との契約は期限まで継続するとした。

エンジニアであるノーランさんにとって、グーグルはあこがれの職場だった。それでも「AI兵器の開発を間接的にでも担うのか」と自問すると、答えはすぐに出た。同じ月、5年余り勤めたグーグルを辞めた。その後「数十人の同僚が次々と辞めていった」という。

学生たちにも同様の動きが広がった。シリコンバレーに多くの人材を送り込んできたスタンフォード大の学生たちが中心になり、グーグルに対し「戦争のための技術開発に加担しないよう求める」と同時に「米軍との契約をやめない限りグーグルの入社面接を受けない」と誓うネット上の署名運動が起きた。

軍事と民生の技術が分かちがたい現代、グーグル以外でも同じような問題は起こりうる。例えばアマゾンの顔認証技術も不当に使われる可能性があると批判されてきた。ノーランさんは「AI兵器にはクラウドを使った技術が不可欠。シリコンバレーには軍と何らかの関係を持っている会社は少なくない」と指摘する。

ノーランさんはアイルランドのソフトウェア会社で働きながら、AI兵器の禁止を呼びかける国際NGOでボランティアとして働く。

ノーランさんは、画像認証が位置情報と結びつけられ、監視している場所を何人かが集団で移動しただけでＡＩ兵器が敵とみなす可能性があるとみる。あるいは、銃を持って狩りをしている人たちが兵士と間違えられて攻撃されるかもしれない。さらに、戦場でＡＩ兵器との通信が途絶えれば、その間にＡＩが誰を攻撃したのかすら人間が把握できない恐れもあるという。

「人間が自ら攻撃対象を選ばない兵器は、全面禁止すべきだ」と訴えるノーランさんはエンジニアとしての知見を生かし、18年11月にはジュネーブで、国連関係者や外交官らにＡＩ兵器の危険性を訴えた。

エンジニアには危機感が広がる。ＡＩやロボット工学の研究者らがＡＩ兵器の禁止を呼びかける公開書簡をまとめると、４５００人余りが署名した。

とはいえ、人間の手に負えない「殺人ロボット」という悪夢を避けるには、エンジニアの倫理観に頼るだけでは足りない。ＡＩ兵器を管理できる広範なしくみ作りが早急に求められている。

論点⑳　仮想通貨と国家の戦いのゆくえは

仮想通貨（暗号資産）は世界金融危機の経験をへて、テクノロジーが国家に代わって信用を担保する可能性を示した。技術者たちが夢みた「お金を民主化する」試みから10年余り。「新たなお金」は今、次のステージを迎えようとしている。

ARのアプリに表示される「サトシ・ナカモト」のキャラクター像＝キエフ

「人間より信用できる」

かつてレーニン像が共産主義国家を象徴していた広場に18年、新たな主役が登場した。ウクライナの首都、キエフの中心部で空席になっている台座にスマホをかざすと、「サトシ・ナカモト」が現れる。

「世界を変えた男だ」。サトシをイメージしたＡＲ（拡張現実）のアプリを作った会社の共同創設者、アンドレイ・モロズさんはこう語る。現金自動出入機（ATM）や市場での決済など、仮想通貨関連のサービスが広がるこの街には、サトシを英雄視する人も多い。

サトシは08年、仮想通貨ビットコインを提案する論文をインターネットに公開した発明者の仮名だ。日本人かどうかも含めて正体は今も不明だが、その考えは世界中のプログラマーに支持され、世界初の仮想通貨が誕生した。

中央銀行などが発行する法定通貨と違い、ビットコインには発行者がいない。裏づけとなる資産もない。紙幣や硬貨といった「実体」もない。では、サトシは何にビットコインを託したのか。

それは、ブロックチェーン（分散型台帳）という技術だ。

ブロックチェーンを使って公開され、かつ改変できない履歴を電子的に記録。参加者同士が共有する。世界中に分散された記録を、多くの参加者がインターネットを通じて監視する。政治でも経済力でもなく、暗号技術への信頼がその価値を担保する。

初めて現実の世界に姿を現したのは10年。米国のプログラマーが1万ビットコインとピザ2枚を交換するようネットで求めたところ、取引が成立した。その後ネット上での取引が定着して価格は高騰。ピザ2枚だった1万ビットコインは１００億円を超える値をつけ

仮想通貨が流通するしくみ

取引履歴は世界中のサーバーに分散して記録

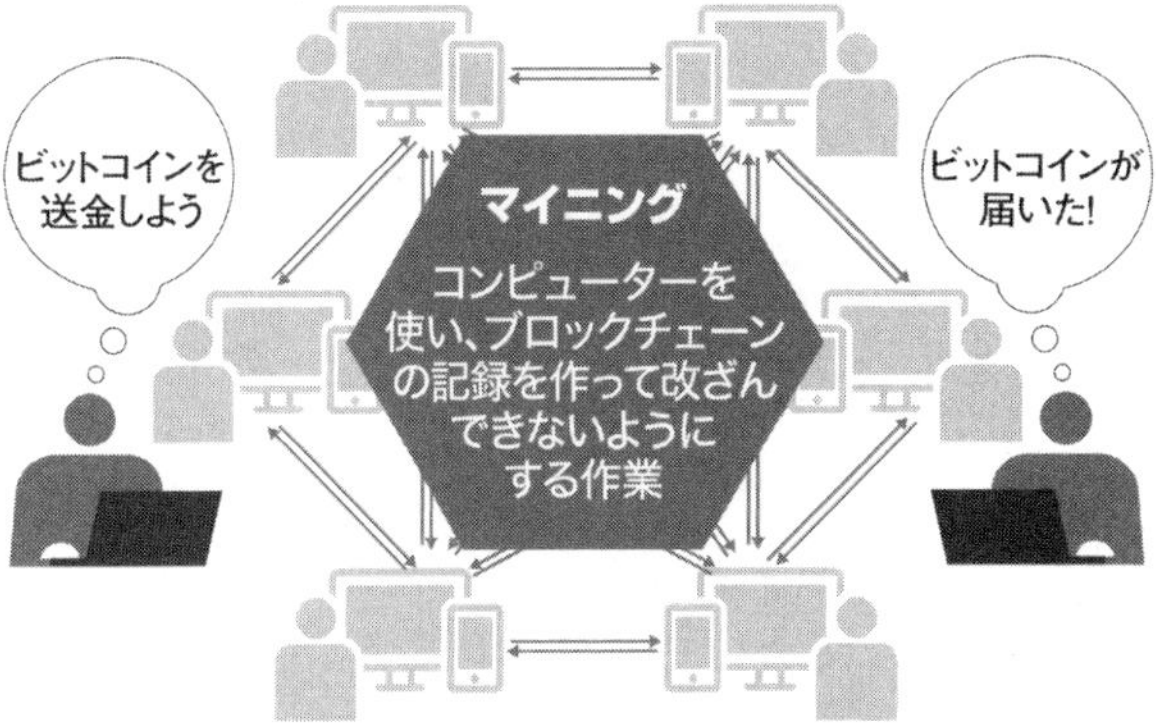
ビットコインを
送金しよう
マイニング
コンピューターを
使い、ブロックチェーン
の記録を作って改ざん
できないように
する作業
ビットコインが
届いた!

マイニングをすると報酬として新たに
発行されたビットコインがもらえる

利点

- 参加しているコンピューターすべてが同じ情報を共有する
- 分散型のため、一部のサーバーがダウンしても機能する
- マイニング作業に必要な10分程度で、どこにでも送金できる

弱点

- 多くのコンピューターが同じコピーを保存するため電力などの無駄が多くなる
- しくみを変えるための合意形成が難しい
- 価値の裏づけがなく、価格が乱高下するものも

るまでになった。発行量に価格をかけた時価総額は10兆円を超えた。

国籍も発行者もない「通貨」が信用を得た理由の一つが、国家の信頼失墜だ。ソ連の崩壊とその後の混乱、民衆革命、ロシアの軍事介入――。ウクライナ国民は絶え間なく、政治の混乱に翻弄《ほんろう》されてきた。物価は安定せず、政治的な資産差し押さえもある。「だから人々は、仮想通貨を必要とした。資産を守る唯一の選択肢だった」とマイケル・チョバニアンさんは話す。

チョバニアンさんはキエフで仮想通貨の交換サービスなどに携わる。自身の全資産も仮想通貨で保有する。自国通貨フリブナが信じられないからだ。「ブロックチェーンは賄賂を受け取らない。人間よりよっぽど信用できる」

世界で連鎖した経済危機も、ビットコインの存在感を高めた。13年のキプロス危機では、欧州連合（EU）が救済の条件として銀行預金への課税をキプロス政府に要求。預金者は慌てて資産をビットコインに移した。

放漫財政で事実上の債務不履行となったギリシャ、ハイパーインフレが頻発するベネズエラ……経済危機が起こるたびにビットコインは買われ、値上がりした。人々にとって、スマホ一つで資金を動かせる仮想通貨は、マネーロンダリング（資金洗浄）への悪用が指摘されながらも、失敗が続く従来の支配者から逃れるための武器にもなった。プログラマーたちが夢みた「通貨の民主化」が実現したかに見えた。

しかし、「管理者」がいない仮想通貨の限界が、日本で露呈する。

「技術には使用期限がある」

14年2月、世界最大級の仮想通貨交換業者になっていたマウント・ゴックス（東京）がハッキングを受け、顧客から預かった計約480億円分（当時）のビットコインが消失する事件が起きた。

経営していたのはフランス出身のマルク・カルプレス氏。知人から11年に経営を引き継ぎ、ビットコインを法定通貨と取引する事業を日本で始めた。カルプレス氏は15年8月に逮捕され、業務上横領などの罪で起訴された。

「頭が真っ白になった」。19年5月に出した著書『仮想通貨3・0』でこう事件を振り返ったカルプレス氏に会った。

「スタッフの増員が（急成長に）追いつかなかった」。カルプレス氏は当時の状況に触れつつ、仮想通貨の現状を嘆いた。「国家や大組織に管理されない通貨という理念は、忘れ去られてしまった」

発行者がいない仮想通貨は価格を監視する機能もない。このため投機の対象になり、価格が激しく乱高下した。大きな値上がり益を得た人が日本で「億り人」などと呼ばれ注目された一方、その不安定さゆえにサトシが論文で掲げた決済手段としての役割は根づかなかった。18年以降もコインチェックから約580億円分の仮想通貨が流出するなど、不祥事が相次いだ。

「セキュリティー技術には必ず使用期限がある」。自身もプログラマーのカルプレス氏は指摘する。

仮想通貨の利点でもある分散型のしくみは、判明した弱点を改良するための合意形成の障害になりかねない。改善策が取れないままコンピューター処理や電力の負担が重くなって相対的に高コスト化したり、セキュリティー策がおろそかになったりする恐れがあるという。

「技術はまだ発展する。でも、もうけようとする人、技術を使う人間の方に、もっと注意しなければいけない」。こう呼びかけるカルプレス氏は19年3月の東京地裁判決で、顧客の預かり金を着服したとする業務上横領罪は無罪が確定。データを改ざんしたとする私電磁的記録不正作出・同供用罪は有罪とされたが、控訴した。顧客への弁済も進めると説明するが、時期のめどは立っていない。

マイナスイメージが定着しつつあった仮想通貨。その見方が一変するニュースが、世界を駆け巡った。

新時代の通貨か、データ支配の道具か

米フェイスブック（FB）が19年6月、「リブラ」構想を発表すると、お金の流れを根底から変える「究極の国際通貨」になるかもしれない、と注目を集めた。

ビットコインなどと異なり、リブラはFBとクレジットカード会社など協力企業がつくる「リブラ協会」が管理。米ドルなどの主要通貨や国債などを裏づけ資産として持ち、引き換えにリブラを発行することで価格の安定を図る。「電話でメッセージを送るように、世界のどこへでも瞬時に、低コストでお金を送ることができる」との触れ込みだ。

従来の仮想通貨の弱点が克服されそうなことに加え、FBのサービスを使う世界中の27億人に定着すれば、リブラが世界中に普及するのも夢ではなくなる。

20年前半の導入をめざすというリブラについて、各国政府や中央銀行は早速、否定的な反応を示した。

トランプ米大統領は19年7月、「ほとんど信頼性がない」と牽制。欧州でも「国家主権を侵害しかねない」などと運用禁止を求める声が上がった。日本でも「裏づけ資産が暴落したり流出したりした場合、結局は中央銀行が尻ぬぐいさせられる」（日本銀行幹部）と懐疑的な見方が目立つ。

拒否反応の背景には、個人情報の流出事件が相次いだFB自体への疑心暗鬼があるのも事実だ。しかしそれ以上に、通貨という国家主権に対する「挑戦」という意識があることは想像に難くない。

一方、これまで仮想通貨を使ってきた個人からは、FBなどの大企業がリブラを、個人データを支配する新たな道具にするのではないか、と警戒する声も上がる。価値の裏づけをドルや国債に頼る時点で、リブラは仮想通貨の流れから外れており、「電子マネーや送金アプリと変わらない」という見方もある。

仮想通貨に詳しい国際大学GLOCOMの楠正憲・客員研究員は「リブラは使途として、企業間の送金よりも少額の支払いが想定される。競争相手は金融機関や当局ではなく、アプリ市場などを通じてすでに決済に進出しているグーグルやアップルなどほかのプラットフォーム企業だ」と指摘する。

リブラは、人々を「支配」から解き放つ力になるのか。それとも、支配者が巨大ＩＴ企業に代わるに過ぎないのか。ビットコインから始まった新たな「通貨」への試みが、真価を問われる日も近い。

3章　いま考えるべきこと

論点㉑　AIの判断根拠がわからない「ブラックボックス」問題

自ら考え始めた人工知能（ＡＩ）。なぜそう考えたのか、その判断の根拠は人間にはわからない。「ブラックボックス」のままで、命や安全をゆだねることができるのだろうか。

AIは「相場師」になれない

「ＡＩがなぜこの株式を『買え』と指示するのか。よくわからないんです」

ヤフーの子会社アストマックス投信投資顧問で、シニアファンドマネージャーを務める広居卓也さんは、使い始めて2年半経っても首をかしげる。

同社の投資信託「Ｙ・ｊａｍプラス！」は、景気や企業の財務情報など普通の運用に使われるデータ以外に、ヤフーが集めるビッグデータを元にＡＩが株価を予測し投資先を決める。２０１６年末に運用を始め、19年5月末で国内の上場企業約１８０銘柄に投資、運用総額は約２８０億円に達する。

ビッグデータとして使われるのは、これまで運用の世界では使われてこなかった情報ばかりだ。例えば天気。東京都内の雨や雪の量をみて衣料量販店の株価を占う。検索機能を通じてアクセスが集中する企業にも、ＡＩは注目する。

政府が発表する景気見通しや政策変更、企業の業績見直し、海外市場での突発的なニュース……。世の中にはさまざまな情報が飛び交う。その組み合わせの中には、株価の動きにつながるパターンがあるはず。人は気づかないが、ＡＩにデータを学ばせてパターンを見つけることができる——。それがＡＩによる運用の発想だ。

AIを使った投資信託は人間の判断とここが違う

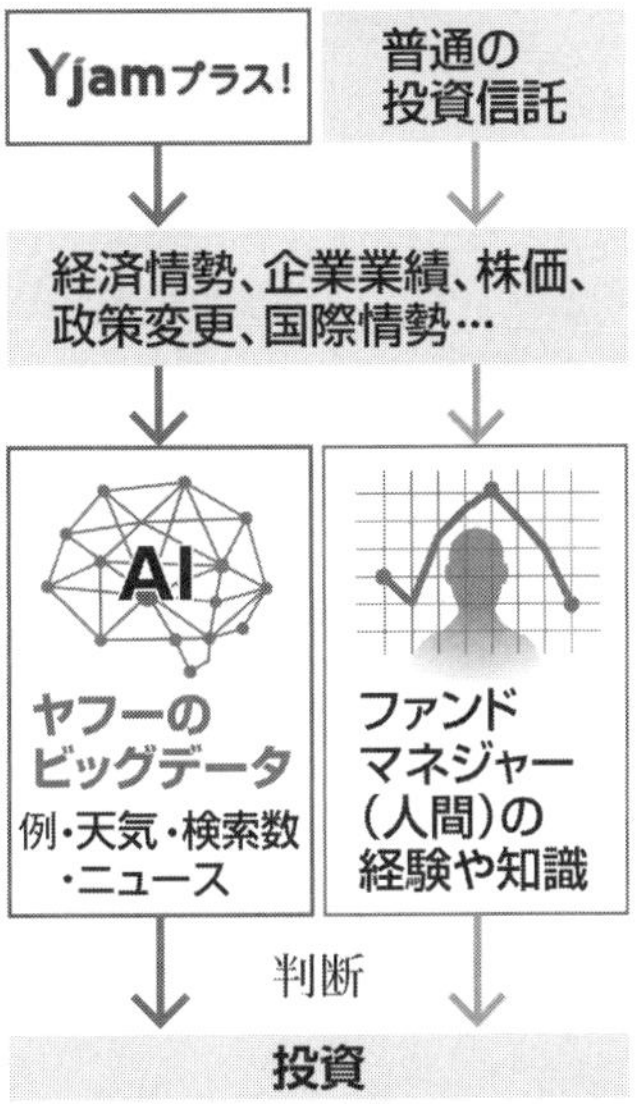

コンピューターの発達で株取引は1秒間に数千回の高速売買が当たり前になった。ＡＩを使えば人と違って判断を迷わず、疲労によるミスもなく、注文を高速で処理できる。しかしＡＩによる運用は、そのようなコンピューター取引とは大きく違う、と広居さん

は話す。

「自動取引では、株の値動きをみれば『業績が上がった』『株価が割安だった』とさかのぼって運用結果を分析できる。でもAIの判断は追跡できません」

AIの判断を人間が理解できない「ブラックボックス問題」だ。

「AIの判断根拠がわからないと、その原因もわからない。運用がうまくいかなければ、その銘柄への投資をやめるしかなくなる」。AIを使った株式運用を研究する鈴木智也・茨城大教授は指摘する。

鈴木教授によると、AIは短期の取引は得意だが、長期運用になると予測が難しくなるという。「ニュースが飛び込んでくると、市場のムードもガラッと変わる。運用の前提条件が違えば、AIはデータを再び学習しないといけなくなる」

AIを使った自動取引を16年4月に始めた野村証券は、AIで5分後の株価を予測している。「コンピューターによる自動取引が当たり前になり、市場に集まる大量の注文をさばくのは人間では難しくなった」とフィラス・ハジ・タイブ同社プロダクト課長は話す。

実際、AIを使って長期運用する投資信託のほとんどは実績がふるわない。

Y・jamプラス！のリターン（騰落率）は、18年5月末までの1年間は約18％のプラスと好調だったものの、19年5月末までの1年では約18％のマイナスと逆転した。アストマックス投信の大久保和彦・公募投信営業部長は「ＡＩを使った投資は新しいチャレンジ。実績はこれから見ていただきたい」と話す。

中長期にわたる投資には情報が複雑に入り組む。ビッグデータを使えば、ＡＩは株価の動きと関係ないかもしれない「雑音」のデータをとりこんでしまう恐れもある。「安定性や高速処理でＡＩは総合的に人間は超えた」と語る鈴木教授はこうつけ加えた。

「ＡＩは人を超える『相場師』にはなれません」

自動運転悩ます「トロッコ問題」

どう判断するのかわからないＡＩは、倫理の問題も人間に突きつける。

「青信号を検出しました」。コンピューターが告げると、交差点で停車中のバスはゆっくりと右折を始めた。運転手の手はハンドルから離れたままだ。

群馬県桐生市で19年5月の土曜日、自動運転のバスなどを公道で走らせる実証実験があった。バスの走行ルートは、桐生市役所から東武線新桐生駅までの往復３・６キロの道のりを約30分かけ、公募した市民を乗せて走った。

小学生の息子2人と参加した主婦の横塚陽子さん(46)は「市内には自分で運転できない『交通弱者』のお年寄りも増えている。自動運転が実現すれば便利になる」と話した。

バスは時速20キロほどに速度を抑え、後方に車がつまってたまったり路上駐車の車があったりすると、手動運転に切り替えて後続車を先に行かせた。地域限定で事前に覚えこませたルートを走るように設計し、自分でルートを選ぶAIは使われていないからだ。

システムを開発した小木津武樹・群馬大准教授は「自動運転は、事故を避けるために究極の『かもしれない運転』を実現しなければいけない」と説明する。

どういうことか。自動運転車に暴走した車が向かってきたとする。ハンドルを右に切ればお年寄り、左に切れば赤ちゃんが犠牲になる。そのまま進めば乗客が危ない。

AIはどれを選ぶ?

貨車の暴走を想定した倫理学の思考実験「トロッコ問題」は、自動運転の開発者を悩ませてきた。小木津准教授も、公道での実験を始めた16年からこの問題を意識してきた。

例えば、人間の目を超える画像認識能力を持つAIを使うと、野良猫も家猫も見分けることができる。でも、「野良猫と家猫を判別し、野良猫をひくなんていう判断が社会に受け入れられるとは思えない」。

さらに人の場合はどうすれば？　「突き詰めるほど、袋小路の議論に入ってしまう」

20年度を目標に進める自動運転バスの実用化時点では、ＡＩは使わない。群馬大は地域限定で速度を抑える工夫をするほか、道路を走りやすいように設計するなど、まちづくりと一緒に自動運転を進める計画だ。

高齢者が増える地方ではバスの運転手のなり手も不足する。自動運転は「救いの神」として期待される。

ソフトバンク子会社のＳＢドライブは25年度までに、自動運転バス1万台を走らせる目標を立てている。乗客の転倒を防ぐため車内を監視するシステムにはＡＩを使うが、仏メーカー製車両の運転関係には使っていない。

同社の佐治友基社長はその理由に「日本の車道の狭さ」を挙げる。障害物を避けようと対向車線にはみ出たとき、時速20キロの自動運転バスに対向して60キロの車が来た場合、衝突までに2、3秒の余裕しかない。「予測不能な事態に車が機転を利かせると、トロッコ問題が起きてしまう」

佐治社長は「例えば路上駐車を減らすなど、自動運転を実現するためには、受け入れる社会の理解も大切になる」と話す。

ＡＩ時代のルール整備を

ＡＩを開発する側もブラックボックス問題に対応を迫られる。富士通は、判断した根拠を示し、裏づけとなる文献などと結びつけるＡＩの研究を進めている。

富士通研究所の丸橋弘治・主任研究員は「ＡＩが間違った推論をしているかもしれない。その判断の根拠が不明だと、説明責任を厳しく求められる自動運転や金融、医療の分野で使うのは難しい」と話す。

ＡＩに運用を任せたままでは知らない間に暴走することもある。もしＡＩが自分で株価を上げる手法を学習し、意図的に株価をつり上げて稼ぐ「株価操縦」をしたら？

今の金融商品取引法では、取引責任者の人間がほかの投資家を誘い込む目的を持っていなければ、刑事罰も課徴金も科されない。

日本銀行は18年9月、大学教授や弁護士でつくる研究会の報告書をまとめた。「自然な需給に基づかない取引が行われないように、ＡＩの開発者や運用者に義務づけることも検討に値する」と警鐘を鳴らした。

ＡＩ開発をめぐる国際的なルールづくりも始まった。経済協力開発機構（ＯＥＣＤ）は

19年5月の閣僚理事会で、AI開発について「人権や民主主義の価値を尊重する」「透明性の確保」など5原則を採択した。日米欧などの加盟国に加え、ブラジルなどの非加盟国も加えた42カ国で署名した。茨城県つくば市で19年6月にあった主要20カ国・地域(G20)の貿易・デジタル経済相会議でも、OECDの原則を踏襲し「人間中心のAI原則」で合意した。

OECDの原則は透明性の確保について、「責任ある情報開示を行うべきだ」と求める。専門家会合では「AIに判断をゆだねるのは、個人への悪影響がない場合に限る」といった意見が強く出された。

AIの国際的なルールづくりは、16年に高松市で開かれたG7情報通信相会合で日本が提起したことが発端になっている。

日本での議論にもかかわり、専門家会合の委員を務めた平野晋・中央大国際情報学部長は「利便性と安全性、そしてコストのバランスをどうとるのか。生命や人権にかかわる分野では、AIの活用のあり方についてもっと議論する必要がある」と指摘する。

社会の「インフラ」になりつつあるAIを、受け入れる側のルール整備もまた急がれている。

論点㉒ 個人情報保護法は頼りになるか

大量の個人データを吸い上げて活用する「プラットフォーマー」（PF）の台頭で、個人情報保護法に注目が集まっている。この法律の成り立ちを追うと、一つの疑問が浮かび上がる。「私たちを守ってくれる力が、本当にあるのだろうか」

日本は法律の目的があいまい

重厚な木目調の壁が印象的な部屋からは、東京・霞が関の官庁街を見下ろせる。ここに19年1月から個人情報保護委員会の9人の委員らが24回にわたって集い、3年に1度の見直しに当たる保護法の改正に向けた議論を重ねてきた。

情報への厳しい姿勢を表すように会議は公開されず、部屋が何階にあるかも伏せられている。19年12月、「個人の権利」を拡大しようとする方針がここで示された。これまでの保護法の流れを変えかねないテーマだった。

就活生に同意を得ないで内定辞退率を予測、販売していた問題が19年夏に発覚するなど、

スイカで自動改札機を通る

リクナビ側に勧告

個人情報保護法はテクノロジーの進歩とともに変化してきた

1999年	住基ネットの導入を定めた改正住民基本台帳法が成立
2001	個人情報保護法案が国会提出されたが、翌年廃案に
03	修正を経て個人情報保護法が成立
05	同法が全面施行。事業者に利用目的の特定や本人への利用目的の通知などを義務づけ
13	JR東日本が利用者の同意を取らずにSuicaの利用履歴を日立製作所に提供した問題が発覚
14	通信教育大手ベネッセホールディングスの顧客情報が大量に流出
15	改正個人情報保護法が成立。ビッグデータを企業が使いやすくする一方で、「要配慮個人情報」を設けるなど規制も強化
	住民一人ひとりに12桁の番号を割り振るマイナンバー制度が始まる
16	個人情報保護委員会が発足
19	就活情報サイト「リクナビ」が学生の同意なしに内定辞退率を企業に販売した問題で、保護委がリクルートキャリアなどに勧告
20	3年ごとの見直しによる個人情報保護法の改正で、個人が自身の情報の利用停止を企業に求める権利の拡大などをめざす

企業側に情報を提供する個人が、自らの情報の取り扱いへの関心を高めていることが背景にある。

これに対して、経済界は反論に出た。

「正当な事業活動を阻害することが強く懸念される」。経団連は20年1月、保護委に意見書を出した。

保護委は、データ利用の停止や消去、第三者提供の停止を請求できる要件を現行の「違法にデータを取得した場合」といった内容から緩和しようとしている。それについて「正当な手続きを踏んで個人データを取得してサービスに使っていても、本人の請求があれば消去しなければいけないようにも読み取れる」というのだ。

「企業にとって顧客データは極めて重要」。経団連の担当者は強調する。

ウェブの閲覧履歴を追う手がかりになる「クッキー」を巡っても攻防がある。

クッキーには氏名などの情報は含まれず、それ単独では個人を特定できないため現行法では保護の対象になっていない。しかし、さまざまなデータを集積して分析すれば、個人を特定できることがある。このため保護委は、クッキー情報を第三者に提供した結果、個人が特定できるようになる場合は、利用者の同意を取るよう事業者などに義務づける方針だ。

最も議論を呼びそうなのが、保護委が「個人情報の適正な利用義務」を明確化する方針を打ち出したことだ。

現行法上ではただちに違法とは言えなくても、「適正」とは認めがたい個人情報の「利用」を規制しようとするものだ。これまでは情報の「取得」段階での本人同意を重視してきたが、情報の「利用」のされ方に重きが置かれる可能性がある。

企業が大量の個人データを集め、特定の個人の趣味や関心といった人物像を予測する

「プロファイリング」が広がる。ローンの判断などに使われる「信用スコア」では、本人が知らないところで機械的に不利な判断が下されるおそれが指摘される。企業のデータ取得段階で規制をかけても、このリスクは減らせないからだ。

ただ、宮下紘・中央大准教授（情報法）は期待を抱きつつも「強い規定にはならないだろう」との思いが消えない。

「日本の保護法は目的があいまいだから」

頭隠して尻隠さず

個人情報保護法が成立したのは03年。住民基本台帳ネットワーク（住基ネット）導入をめざす政府にとって、データの漏洩《ろうえい》などに対処するため、個人情報保護を定めた基本的な法律をつくる必要に迫られていた。電子商取引が広まる中、個人データ保護の不十分な国への個人データの移転を欧州連合（EU）が制限しようとする動きもあった。国会審議で一時は廃案になったが、政府は成立を急いで進めた。

同法第1条の「目的」は「高度情報通信社会の進展に伴い個人情報の利用が著しく拡大していることに鑑み」と始まる。「個人情報は使ってなんぼという発想」（保護委幹部）

05年に全面施行されたが、企業が守るべき手続き的な規律を定めたにすぎない「データ漏洩防止法」だとの専門家の揶揄《やゆ》は今でもある。当時、法制定にかかわった政府関係者も「いきなり強い規制をつくれるはずもない。ましてやプライバシーを守るための法律ではない」と、事業者が最低限守るべきルールを定めたものと認める。

こうして経済界に配慮して成立した法律は、13年夏に発覚したある事件で、試練にさらされる。

JR東日本が、ICカード「Ｓｕｉｃａ《スイカ》」で首都圏のJRや私鉄の約１８００駅を乗降した日時や運賃などを、市場調査用データとして無断で日立製作所に販売していたと公表。記名式Ｓｕｉｃａでは名前と連絡先は除かれていたが、改札ゲートの番号や秒単位の通過時間などはそのまま販売された。JR東には1カ月足らずで約１５０件の苦情や問い合わせが寄せられ、販売はその後とりやめになった。

新潟大の鈴木正朝教授（情報法）は「移動履歴のデータに個性があり、個人の識別性を持っていた。まさに頭隠して尻隠さずの状態。原データと照合すれば一発で本人が分かる。クッキーに限らず匿名だからといって、個人情報に当たらないということではない」と振り返る。

保護法は15年、本格的な改正がされた。このときの主眼はＩＴの発達で生まれた「ビッグデータ」をどう使いやすくするか。バランスをとるように個人情報を保護する視点も盛り込まれたが強くはなく、内定辞退率の問題につながった。

欧州の実情は対照的だ。

世界でもっとも厳格なプライバシー保護法制と言われるＥＵの「一般データ保護規則（ＧＤＰＲ）」。機械的にその人の傾向をつかむプロファイリングに対して個人が異議を唱える権利や、機械だけで重要な決定を下されない権利を明記する。

ＧＤＰＲを活用し、世界的に後手に回っていたＧＡＦＡ規制に、ドイツが先鞭《せんべん》をつけた。19年2月、独カルテル庁は米フェイスブック（ＦＢ）に対し「インスタグラム」や「ワッツアップ」など複数のサービスや、さまざまなウェブサイトを通じて得た個人情報の統合を禁止すると通知した。

自分のデータを消費者自身が管理できなくなっていると問題視。「経済の憲法」と言われる独占禁止法制とＧＤＰＲを組み合わせて規制に踏み切った。裁判所は処分を差し止める決定をしたものの、カルテル庁は上級審で争う姿勢だ。

さらに、ドイツ憲法をも引用して、ＦＢが「搾取的」であると断定した。あらゆる法律を組み合わせて、PFという新たな「秩序」に対処しようとする。

80年ほど前、ユダヤ人を迫害するため、ナチスドイツは紙に穴を開けて個人を識別する米IBMの「パンチカード」を使って効率的にユダヤ人の情報を管理した。欧州では冷戦時代にも、個人情報が悪用されて監視に使われた。

そんな負の歴史を忘れない姿勢が、個人情報保護に対する今の厳しい姿勢につながっている。

価値や倫理観を共有するための議論を

「保護」か「利用」か。軸足が定まらないため「右にも左にも大きく振れる」と指摘されてきた日本の保護法は今回の改正も、現実を後追いする形になった。悪い流れを断ち切るには、どうすればいいのか。

近い将来訪れると予想される本格的なAI（人工知能）社会で、病歴や遺伝情報を見て保険商品への加入を拒否されたり、機械が人を格づけする「信用スコア」が採用活動や婚活サイトにも使われ、不当な差別を受けたりするかもしれない。どんなことが起きるのか見通すのは難しく、個々の事態に対応しようという姿勢をとり続ける限り、その場しのぎになることは避けられないだろう。

求められるのは、テクノロジーの進歩を取り込みつつ、個人を守るために必要な「価値」や「倫理観」を共有していくための議論だ。

山本龍彦・慶応大教授（憲法）は保護法の目的に「基本的人権」の概念を盛り込むべきだと考える。企業が持つ個人データの訂正や開示の請求権、利用停止やデータポータビリティーといった個人の権利の根拠にするという狙いだ。

山本教授は「ネットワーク社会がどんどん進めば、個人は他律的、受動的になってしまう。自分で決められるという『自己決定』を一つの基軸にしていく必要がある」と主張する。

次の見直しの機会がやって来るのは23年。テクノロジーの進化の速さを考えると、「プロファイリング」について何が差別や偏見につながるのか、すぐにでも検討を始めなければならないテーマのはずだ。

論点㉓ 行政によるデータ収集の是非

大量のデータを活用しようとするのは、ＧＡＦＡ《ガーファ》などの民間プラットフォーマーだけではない。「快適な暮らしにつなげよう」と、住民の生活データに着目する行政機関も登場している。行政主導の「データ連携」の動きに、問題はないのか。

会津若松で「壮大な実証実験」

福島県会津若松市の猪俣富栄さん（62）は20年に入って、肌身離さず腕時計型のウェアラブル端末を身につけるようになった。歩数のデータがスマートフォンのアプリを通じて蓄積される。

18年に定年退職。ひざや腰に痛みを抱えているが大きな病気はない。趣味で始めた卓球を週4日、楽しむ。いまの関心は「もっと健康になりたい」。朝昼晩と1日3回、端末をチェックしている。

データは市と協力するデータ分析会社ＡＲＩＳＥ《アライズ》 ａｎａｌｙｔｉｃｓ《アナリティクス》（東京）が実施す

る実証実験に使われる。アプリには、歩数に応じて増える「青べこ」や「赤べこ」がアニメーションで流れる。

猪俣さんを含めた21人が参加。国民健康保険の加入者が対象で、市の健康診断の結果や、どんな病気で何の薬が処方をされたかが分かるレセプト（医療機関からの請求書）といった個人のデータも市から入手。5年以内に「脂質異常症」「高血圧」「糖尿病」になる確率を本人に知らせる。

会津若松市は、市民から提供されたデータの利活用を進める。この実証実験を、病気のなりやすさ予測だけに終わらせる気はない。「病気になる確率だけでは市民を不安にさせるだけ。データの種類を増やし、生活習慣病のリスクを減らせるような具体的な取り組みを、個別に提案できるようにしたい」と長谷川健一・市健康増進課長は話す。

市は15年末、「会津若松＋《プラス》」の運用を始めた。個人に合った情報を選んで提供するポータルサイトだ。例えば、子どもがいる主婦に対しては乳幼児健診や予防接種の予定日、児童手当のお知らせなどが画面の上の方に表示される。18年度末までに約8千人がＩＤ登録した。

会津若松＋は、アライズ社にも出資する外資系コンサルティング大手のアクセンチュアの協力で開発した。同社は東日本大震災直後から市に復興計画を提言するなど、市や会津大学とともに「データ利用」による街づくりを担ってきた。

磐梯山や猪苗代湖といった豊かな自然に囲まれた盆地に位置する人口約12万人の同市は、市民参加型の実証実験をするのにちょうどいい規模だという。人口減少や医療費の増大といった悩みは他の地方都市とも共通する。

アクセンチュアが見すえるのは、こんな理想像だ。市民が提供したヘルスデータは、製薬会社など創薬の開発に役立つデータとして販売。市民は自らに向いた医療を受けたり、健康状態に応じた保険に加入できたりできる。食などの購買履歴も組み合わせれば、どんな食生活をしているのかも「見える化」され、適切な食事や生活の指導も受けられる。

20年1月には「会津若松＋」にＩＤ登録をすれば、データ連携したスマホのアプリ上で医療費をキャッシュレスで支払える実験もした。住民が何を買ったのかを把握し、行政サービスに結びつける取り組みの一環だ。

「会津若松をフィールドにした壮大な実証実験だ。まずは小さなところでの成功が重要。そこでうまくいったものを全国に広げる」。同社イノベーションセンター福島の中村彰二朗センター長は話す。中村氏は自身のＤＮＡも提供して病気になる可能性を調べてもらい、保険会社などと「マイ保険」実現に向けた勉強会を開いているという。

市民自らが情報を提供するか決めてもらい、便利なサービスにつなげるだけでなく行政も効率化する——そんなモデルは、東欧の国で進められている。

生き残るためにプラットフォーマーへの道

バルト三国の一つで、中世の美しい街並みを残す東欧のエストニアは、京都市よりも少ない133万人が住む小さな国だ。しかしそこには、政府が一元管理して実生活の情報をネット上のサービスと結びつける巨大なプラットフォームがある。

市民のネット上の窓口となるポータルサイトを、外国投資促進局に勤めるアネット・ヌマさんが見せてくれた。国民一人ひとりに発行されるＩＤカードを使ってパソコンからログインすると、学生時代の成績から銀行の預金残高まで、人生の大半の情報が画面に映し出された。「私の個人情報のすべてが詰まっているので、写真は撮らないでくださいね」

政府は02年、全国民へのＩＤカードの発行を始めた。今では、子どもが生まれると病院がオンラインで出生登録。名前を決めるよりも先にＩＤ番号が発行される。親は後日、ポータルサイトに名前を届けるだけで、出生届の提出や健康保険の加入といった面倒な手続きが完了する。

行政サービスの99％が電子化されている。連携先は病院だけではない。学校といった公的機関、銀行などの民間部門とも結びつく。ＩＤカードは、日本のマイナンバーに運転免許証、健康保険証やキャッシュカードなどあらゆるカード類を一つにまとめたような役割だ。

民間企業がデータを使うには、本人の同意が条件だ。「保険会社や銀行が個人の医療データを使う場合、保険商品に加入できなくなったりローンが組めなくなったり、大きなリスクが伴う。国民の不利益になってはいけない」（政府の最高情報責任者、オットー・ベルスバーグさん）からだ。

このプラットフォームのしくみはフィンランドなどに「輸出」し、共通のシステムを使う国同士、公的なデータベースの連結さえ進めている。

なぜそこまで徹底したデータ連携をめざすのか。経済通信省のインドレック・インニック国際業務企画官の説明はこうだ。

「2千以上の過疎の島を抱え、少子高齢化が進む。石油も金《きん》も取れない国が生き残るためには、政府が国民のデータを活用するプラットフォーマーになることが唯一の答えだった」

情報漏洩《ろうえい》リスクにはどう対処するのか。データは暗号化されており、しかも誰がいつ閲覧したという記録はすべて本人に開示される。共有してほしくない情報は公開を拒否できる。

漏洩はなくても、学校での成績や大麻の使用といった犯罪記録も蓄積され、共有される。個人の信用情報としても使われる。一度の失敗が未来の選択を狭める可能性はないのか。

政府で電子住民制度をつくったカスパー・コルジュスさんは言う。

「グーグルやフェイスブックの無料サービスと一緒で、便利さが勝ってしまった今、もはや議論にもならない」

行政はめざす社会のビジョンを示せ

天然資源に恵まれず、少子高齢化に直面するのは日本も同じだ。

しかし、日本でマイナンバーカードが交付された数は1934万枚（20年2月5日時点、総務省調べ）。全住民の15％ほどにとどまる。

「マイナンバーカードの普及にとって、極めて重要な年であると閣僚間の認識を共有した」。高市早苗総務相が20年1月の閣議後会見で危機感をあらわにした。

背景には個人情報の漏洩や盗難などに対する不安がぬぐえていないことがある。使い道も少ない。

そこで政府は、19年の消費増税に伴う景気対策の名目で、20年9月からマイナンバーカード保有者に限りキャッシュレス決済した場合にポイントを上乗せする還元策を打ち出した。キャッシュレス決済手段に2万円をチャージすれば、先着4千万人が5千円分のポイントをもらえる。キャッシュレス業者が繰り広げる「ポイント還元キャンペーン」と変わらない。

このお祭り騒ぎには、別の狙いがある。今は現金で支給する子育て支援などの給付金を、電子化してポイント還元やクーポン化できないか検討するのだという。

「電子化すれば使い道が限定でき、お金に色をつけられる。子どものランドセル代が親の飲み代に変わることはなくなる」。担当者の説明は明快だ。

さらには本人同意のもとに、行政と民間企業が持つデータをつなげて、「個別化」した住民サービスを提供しようとする動きが広がるのかもしれない。

しかし、行政が「効率化」を進めた先には、個人を「丸裸」にできる社会が到来しかねない。国や自治体にとって聞き分けのいい住民ばかりが優遇されることも起こり得る。

行政機関がデータ連携を進めるのであれば、どんな社会をつくるのかビジョンをしっかり示し、都合の悪いことも隠さずに説明することが欠かせない。「お得感」をあおって利用者を増やしても、住民からの信頼は得られず、情報を使えるようにもならないだろう。

論点㉔ テクノロジーは貧困を救えるか

1本の通りをはさんで、光と影が同時に見えた。

19年6月、米サンフランシスコ市を訪ねた。ツイッターや配車大手のウーバー・テクノロジーズといった名だたるIT企業の本社が並ぶエリアのすぐ横は、路上生活者が占拠し、失業者が昼間からたむろする。テンダーロイン地区は繁栄から取り残されていた。

IT企業に勤める高所得者が市内の不動産価格を高騰させ、8千人以上が住まいを追われた。取材で会った市議は危機感を隠さなかった。「路上生活者に、IT企業に勤めていた人は少なくない。誰しも明日のわが身だから」

人工知能（AI）に代表されるテクノロジーの進化は、人類を幸せにするのだろうか

――。取材を通して問い続けたことだ。希望よりも、持つ者が富を独占することに絶望しかけていたとき、あるベンチャー企業と出会った。

「グローバル・モビリティ・サービス」（GMS、東京都港区）は、13年に創業した。金融とITを融合したフィンテック分野を手がける。20年1月、サイドカーつきのバイクタクシー「トライシクル」の運転手102人を招き、フィリピン・マニラでパーティーを開いた。

胸に抱えるバイクの所有者証明書

誇らしげな顔で壇上に並ぶ彼らが抱えているのは、額縁に入ったバイクの所有者証明書。会場に詰めかけた1500人の家族らが拍手でたたえた。

彼らは、経済的な信用がないためにローンが組めず、これまで自分のバイクを持てなかった。返済能力があるのに、だ。それをテクノロジーが変えた。

最低運賃10ペソ（約20円）のトライシクルは庶民の足であり、手に職のない貧困層にとって数少ない働き口でもある。同国内で約400万台が走るが、その6割は自力でバイクを購入できず、借り物で営業している。使用料などを払うと、丸1日働いて手元に残るのは500ペソ（約1千円）ほど。家族を養うにはとても足りない。

フィリピンでは成人の86・6％が資産1万ドル（約108万円）未満と言われる。フィリピン中央銀行の19年の調査では、銀行口座を持つ世帯は全国民の2割超にとどまる。そのためローン審査の通過率は1割ほどに過ぎない。

車を買うローンを組めず、安定した収入は夢のまた夢。貧困から抜け出せないからカネを貸してもらえない。そんな悪循環を断ち切ったのは、GMSの中島徳至社長（53）が、かつて興した電気自動車会社でのソフトウェア開発の技術を生かして作った手のひらサイズの機器だった。

その機器をバイクに取り付けると、搭載したGPSなどから走行距離やその日の収益、運転の安全性など約20項目のデータが集められる。これを「勤労度」として点数化し、提携した金融機関約10社に提供。従来の物差しでは貸せなかった人を優良な融資先に変えた。世界には、仕事のために車を買いたくても買えない人が17億人いると言われる。

しょうゆがけご飯の生活、一変

パウロ・バルアメダさん（47）は4人の子どもを育てる。借りていたバイクが古く、故障はしょっちゅう。収入は安定せず、ご飯にしょうゆをかけて食いつないだ。毎朝4時から働いても、一向に生活は豊かにならない。時には高利貸の取り立てから、家族で逃げ回ったこともあった。

そんな生活が、融資を受けて新車のバイクを買って一変。家まで買えるようになった。大学で会計学を学ぶ娘のパウラさん(18)は、流暢《りゅうちょう》な英語でこう言った。「私が一生懸命勉強すれば両親を助けられる。卒業したら、弟を大学に行かせて、父も運転手を卒業できる。今度は私がお返しをする番です」

ベイビ・デリア・ドミンゴさん(43)はバイクを購入するまで家を借りるお金すらなく、夫とトライシクルのサイドカーで寝泊まりしていた。GMSのおかげでバイクを買い、家も買えるまでになった。その直後、夫が病気にかかり30万ペソ(約60万円)の手術代が必要になったが、ベイビさんが夫の代わりに働くことでしのげた。パーティーでは「夫の病気は治り、娘を大学に通わせることもできた」と涙ながらにスピーチした。

15年以降、1万人以上が利用。約500人が完済し、返済できなくなった人は1%にも満たないという。返済できなくなったバイクは次の申込者が引き継ぎ、残りのローンを返済する。

「まじめに働く人の『頑張り』をテクノロジーで可視化すれば、今まで閉ざされてきた金融の扉を開けられる」。GMSの中島社長は力を込める。「持つ人のためのフィンテックから、持たざる人のためのフィンテックに挑戦したい」

GMS創業メンバーの一人で海外事業を統括する中嶋一将さん(28)は入社前、学生インターンとして3カ月間フィリピンに滞在した。2千人近くの運転手にヒアリングし、運転手宅で1週間寝泊まり。一日も休まず働く運転手が少なくない上、日々支払うトライシクルの使用料を積み上げると、月々のローンの返済額とほぼ変わらないことに気が付いた。

日銭を稼ぐその日暮らしの運転手たちに、月末まで返済資金を残させるのは非現実的。だから「支払った分だけ使えるプリペイド式にすれば、成り立つのでは」と考えた。電気代も携帯電話料金もすべてプリペイド式のお国柄だから受け入れられやすい。支払いが滞れば、デバイスを通じてバイクのエンジンを止め、近くのコンビニで支払えばすぐに動き出す仕組みにした。

「信用」の積み重ねは、未来への可能性を広げる。集めたデータはプラットフォームに蓄積され、学費や住宅といったローンの与信にも使える。中嶋さんが1週間、生活を共にし、ほとんど電気がつかず真っ暗だった運転手の家には今、真新しい洗濯機やテレビが並ぶ。

「金融機関にとっても貸し倒れが少なく、持続可能な形で貧困の連鎖を断ち切るきっかけができる。テクノロジーは、意思をもって育てればいい」と中島社長は話す。

日本も約3割が自動車ローンを組めない

ＧＭＳは東南アジア３カ国に加え、19年春から日本でも事業を始めた。

静岡県浜松市に住む女性（35）は20年３月、ＧＭＳのサービスを使い48回払いで69万円の中古のミニバンを買った。

10年ほど前、洋服などの買い物のために消費者金融から約２５０万円を借りた。「若気の至り」と今では後悔するが、その後、債務整理をしたことで「ブラックリスト」に記録が残った。

勤める衣料品関係の工場には早朝や深夜のシフトがある。３人の子どもの送迎もあり、車がほしかったがローンが通らなかった。

ようやく手に入れたミニバンを前に、女性は鍵を大事そうにギュッと握りしめた。

日本でも、約３割の人が経済的な理由などから自動車ローンを組めないのが現状で、毎月２００人ほどがＧＭＳのサービスを申請する。サービスの代理店の一つで、女性が車を購入した浜松市内の中古車販売店には、岩手や広島など全国から駆け込んでくる。フィリピンは対岸の火事ではない。

「6人に1人が貧困ライン以下の生活をし、一人親世帯の過半数が貧困状態」。それがこの国の現状だと、グラミン日本の菅正広会長（63）は言う。

バングラデシュに1983年誕生したグラミン銀行は、貧困層向けの少額融資「マイクロファイナンス」の先駆けだ。日本にも2018年秋に進出した。融資した3組15人の7割はシングルマザーなどの女性。残りは、就職氷河期に社会に出て正社員になれず、飲食宅配代行サービス「ウーバーイーツ」の配達員といった不安定な仕事を掛け持つ人たちだ。

「貧困は決してひとごとではない。失業や病気をきっかけに、社会保障から漏れ落ちた人へのセーフティーネットがあまりにも少ない日本で、社会（課題の解決をめざす）企業が一つでも二つでも増えればいい」と菅会長は語る。

誰もが等しく幸せになるチャンスを与える――。テクノロジーには本来、そんな使命が期待されている。巨大ＩＴ企業の「勝者総取り」が加速する今、小さな光が見えた気もした。

論点㉕　GAFAの次に何が来るのか

「GAFA《ガーファ》」。グーグル、アップル、フェイスブック、アマゾンの米巨大IT4社をまとめてこう呼ぶ。

定着したきっかけの一つは、18年7月に出版された『The four GAFA　四騎士が創り変えた世界』（スコット・ギャロウェイ著）だ。4社の興隆とともにIT企業の危うさを描いて、15万部が売れた。ただ、原題に「GAFA」の文字はない。

日本語版でつけ加えられたいかつい響き

「この本は、当時もてはやされていたIT企業を恐ろしいものとして描いた。そこで日本語版には、響きがいかついGAFAという呼び名を入れたんです」。日本語版の編集者で東洋経済新報社の桑原哲也さん（39）が明かす。

最先端のテクノロジー、ビッグデータを背景にした影響力、国家をもしのぐ豊富な資金力。それらは大量の個人データの収集、市場の支配力による競争の阻害、極端な節税策などと表裏一体でもある。ＧＡＦＡの響きはそんなことを思い起こさせる。

一度手にした便利さは手放しにくく、私たちは裏の顔に疑念を持ちながらなお、ＧＡＦＡのサービスを使い続けている。では、どうやってこの状態から抜け出せばいいのだろうか。長文の利用規約に次々と同意を求められるだけではない、もっと別のやり方はないのだろうか。

挑戦を始めた人たちに会った。

ネットの基礎を築いた3人組、再び集結

柔らかなオレンジ色の光が高窓から差し込む様は、ここが礼拝所だったと聞くと納得できる。米サンフランシスコ市内にある元教会の建物に、インターネットアーカイブの本部はある。

ネット上のあらゆる情報を保存し、だれもが検索できるようにした「ウェイバックマシン」を運営するＮＰＯだ。創設者のブリュースター・ケールさん（59）は、ネット上で文書を検索する初期のシステムを開発し、「インターネットの殿堂」に名を連ねる技術者としても知られる。

16年夏、IT技術者や企業関係者、NPO代表、政策立案者、ジャーナリストら約60人がここに集まった。きっかけは、前年のケールさんの講演だった。

今のネットはそのしくみ上、政府や企業に個人情報が読み取られるのを防ぎきれない。各国政府が我々の行動を監視し、広告にも追い回される。ならば、みなで新しくしくみを作り直そうではないか——。

聴衆の中に、今も私たちが使う「WWW（ワールド・ワイド・ウェブ）」を開発した旧友ティム・バーナーズリーさんがいた。ケールさんは声をかけた。「どう思った？」

「素晴らしいアイデアだ」。バーナーズリーさんは答えた。そこに、ネット上の通信規約（インターネットプロトコル）を作り「インターネットの父」と呼ばれるビントン・サーフさんも加わった。現在のウェブの基礎を築いた3人が、もう一度タッグを組み、ウェブを作り直す挑戦の場「サミット」が生まれた。「年寄りギャング3人組と呼んでいるんだ」。ケールさんはどこか愉快そうだ。

「初期のウェブは信頼に基づき、だれもが直接つながれる場所だった。それが今や、カネを出して良い評価を得たり、政治家がウソを垂れ流したりする場所として悪用されている。多くの人は大企業や政治家に裏切られたと感じている。私もネットを信頼し過ぎてしまった」

だからケールさんは「企業や投資会社が金もうけでやるのではなく、世界のNPOや教育機関、市民を中心に新たなしくみを作る」ことにこだわった。

多彩な人たちが挑戦に加わった。中でも異色の経歴を持つのが、コリイ・ドクトロウさん。テクノロジーの問題と社会との接点を描く作品を生み出してきたSF作家だ。同時多発テロを機に市民の監視を強める米国社会の中で、自由を求めて立ち向かう高校生ハッカーの姿を描いた小説『リトル・ブラザー』(08年)は全米ベストセラーになり、若手の技術者に影響を与えた。

「フェイスブックを改善しようなんて考えるな。既存のルールの外で、全く新しいものを作り出せばいいんだ」。ドクトロウさんは、若いエンジニアにそう訴える。

ケールさんが構想するのは、個人のスマホやパソコンといったさまざまな場所に分散してデータを保管し、必要な時だけ集めて表示させるしくみだ。情報を分散させておけば個人情報が抜き取られにくく、ハッキングもされにくくなる。「かつては技術的に難しかったが、通信速度や処理能力、スマホの普及で可能になった」。企業に情報を取られないSNSを作っている人もいる。

バーナーズリーさんはケールさんとは違ったやり方で、マサチューセッツ工科大学の学生たちと分散化に取り組む。

サミットはアイデアを一つに集約する場ではないと、ケールさんは言う。「さまざまな分野の人たちが集まって意見をぶつけ合えば、ここから何かが生まれると思う」。そう期待している。

日本でも、GAFA後の世界を模索する動きは始まっている。

関心は金もうけばかり、危ない

東京・大手町のシェアオフィスの一角に、クリス・ダイさん（39）が18年末に創業した「レシカ」がある。

ダイさんは中国・大連で生まれ育ち、小学4年から高校卒業まで日本で過ごした。米国の大学を卒業した後、日中のコンサルタント会社や物流会社などで10年余り働き、16年に再び日本に戻った。暗号化された記録の連鎖（チェーン）が取引を記録・保証する「ブロックチェーン」を使ったサービスを創業するためだった。

ダイさんには危機感があった。「中国の若手起業家と話すと、言論の自由や民主主義への懸念は薄く、関心は金もうけばかり。これは危ないなと思った」

日中米3カ国を知るダイさんは「中国が世界をリードし始めるとき、他の国は中央集権的なやり方に対抗できなくなるかもしれない」と懸念する。ブロックチェーンは、個人情報を守りながら、国家やGAFAによるデータ支配から逃れる一つの方法に思えた。

大手企業と一緒に、個人情報を守りながら情報をやり取りするシステムに取り組む。例えば、ネット上の購買記録を自分で保管し、必要な時にのみ暗号化したデータを送るしくみがあれば、データを渡すことなく好みに合った商品を探すことが可能だ。

自動車や信号、電気網などあらゆるものがネットにつながる「スマートシティー」でも、個人の運転データや購買データを暗号化し、それを個人が所有することで、データの独占を避けられる。病院が持つ患者のカルテや検査情報なども、患者が所有し、自らの意思で他の病院とやり取りできるようになる。重要なのは「利便性を失わずに、個人がデータを所有し、コントロールすること」だと考えている。

シリコンバレーの活況、数年で一変

新しい技術やサービスを次々と生んだ米シリコンバレーは活況に沸いていた。株価はうなぎ登り。ＧＡＦＡもスタートアップ企業も利用者さえ味方につけてしまえば、政治や規制は「後からついてくる」という雰囲気だった。

ところが、16年の米大統領選を機にフェイクニュースの拡散、フェイスブックの個人情報流出といった問題が次々と明るみに出ると、様相が一転した。欧州では、当初不可能とも言われていたＧＡＦＡ規制が現実のものになった。極端な節税策にもメスが入り、市場のある国で税金を納める新しい課税ルールが現実化しそうだ。わずか2、3年で、状況は一変した。

世界は今、大きく三つの価値観のせめぎ合いの中にある。民間と市場の力で動く米国。人権を前面に出す欧州。国家によるデータ統制が進む中国。そのはざまで、日本はどんな道を進むのか。

「理念にとらわれないからこそ、他の国が受け入れやすい長期的な目標を設定し、新しいデータ流通の枠組みを作ることができる可能性がある」。そう語るのは、スタートアップやテクノロジー政策に詳しい増島雅和弁護士だ。さまざまなＩＴ関係の政府会議の委員を務めてきた。

「日本はインターネット空間の情報戦略に負けてきた。米国に制空権を握られている中で、ルール作りでユニークな立ち位置を取れなければ、勝ち筋は見つけにくい」

テクノロジーと政策、地政学はますます不可分になっている。技術的には可能でも、その技術を社会として推進すべきか、足かせをはめるべきかといった判断が求められる場面も増えている。

テクノロジーの進歩を止めることはできない。人工知能（AI）の発達やビッグデータによる新たな支配が急速に進む中、私たちはテクノロジーをどう使い、どんな社会をめざすのか。そして、どうやって幸せを手にするのか。求められるのは、そんな根源的な問いへの答えだ。

あとがき

今、東京都心では、座席の前に動画を視聴できるタブレット端末を取り付けたタクシーが増えています。目的地に向けて走り出すと、動画の再生が始まります。私の場合は、転職支援やオフィスの管理ソフトなどビジネス関連の動画広告がほとんどです。女性や子ども向けなど多様性に富むテレビ広告とは異質の「ターゲティング」に違和感を覚えていたところ、実はタブレットに内蔵しているカメラが乗客の顔写真を撮り、男性か女性かを推定、再生する動画を選んでいました。進化した顔認証システムがこんな身近なところに入り込んできている――。そんなことを教えてくれたのが、朝日新聞朝刊で2019年3月24日から連載が始まった「シンギュラリティーにっぽん」でした。

米国の市民革命などを経て形作られてきたジャーナリズムには、様々な役割が期待されています。権力が腐敗しないように監視することは、その原点とも言えるものですが、時代の変化を先取りして広く伝える、その変化があるべき方向に進んでいるのか、課題を抱えているのかを多くの人たちとともに考え、必要な見直しを促していくこともまた、大きな役割のひとつです。

取材班はそのような問題意識のもと、人工知能（AI）を中核とした新しいテクノロジーが、私たちの暮らし、社会をどのように変えようとしているのか、その最先端を丹念に取材し、課題を浮き彫りにすることを試みました。ある記者はイスラエルに飛んで、歴史学者のユヴァル・ノア・ハラリ氏にインタビューし、ある記者は欧州から北米へと飛び回って最先端の取り組みをルポするなど、国内外を走り回りました。

新聞での連載のタイトルを「シンギュラリティーにっぽん」にするまでには半年以上、議論を重ねました。シンギュラリティーとは、AIが人間を超えるまで技術が進むタイミングを意味し、「技術的特異点」と訳されますが十分広まっている言葉とは言えず、加えて連載がAIだけを描くと誤解されるのではないか、という危惧もあったからです。最終的には、現時点の延長線上として考えられないほどテクノロジーが加速度的に進化した先を見すえて記事をまとめる、という取材班の意気込みを「シンギュラリティー」という新語で表現したい、ということで決めました。

はるか昔、青銅の武器を持つ民族が、より硬い鉄の武器を持つ民族に制圧されたように、最新の技術はその時の統治者（統治機構）を利することがあります。今に引きつければ、AIはその使い方次第で、民主主義の成熟に逆行するものにもなりかねません。AIの活用は、暮らしをより便利にし、豊かさを実感する機会をより多く提供することになるでしょう。一方で、私たちの見えないところで、すべてを監視され、いつでも「私権」を制限できる態勢も整いつつあるとしたら、それは本当の豊かさと言えるでしょうか。

すでに、AIの進化によって、多くの雇用が奪われる懸念は語られ始めています。輝きが強いほど、影もまた濃くなります。まだ、すべての論点を示せたわけではありませんし、課題解決の道を描き切れたわけでもありません。朝日新聞経済部として、「シンギュラリティーにっぽん」を起点に、私たちの「未来」を探り続けます。

本書は、編集委員の堀篭俊材、東京経済部の大津智義、渡辺淳基、牛尾梓、宮地ゆうから成る取材班を中心に執筆し、西部報道センターの田幸香純、中国総局の福田直之や、浜田陽太郎、山脇岳志の両編集委員も加わりました。デスクワークは東京経済部次長の吉田博紀が務めました。紙面で掲載した記事に加筆し、再構成しています。登場人物の肩書や年齢等は原則、掲載当時のものです。

2020年4月

朝日新聞東京本社経済部長　寺光太郎

朝日新書
765

テクノロジーの未来《みらい》が
腹落《はらお》ちする25のヒント

2020年5月30日第1刷発行

著　者　朝日新聞「シンギュラリティーにっぽん」取材班

発行者　三宮博信
カバーデザイン　アンスガー・フォルマー　田嶋佳子
印刷所　凸版印刷株式会社
発行所　朝日新聞出版
〒104-8011　東京都中央区築地5-3-2
電話　03-5541-8832（編集）
　　　03-5540-7793（販売）

Published in Japan by Asahi Shimbun Publications Inc.
ISBN 978-4-02-295069-7
定価はカバーに表示してあります。

落丁・乱丁の場合は弊社業務部(電話03-5540-7800)へご連絡ください。
送料弊社負担にてお取り替えいたします。

朝日新書

寂聴　九十七歳の遺言

瀬戸内寂聴

「死についても楽しく考えた方がいい」。私たちはひとり生まれ、ひとり死ぬ。常に変わりゆく。かけがえのないあなたへ贈る寂聴先生からの「遺言」――私たちは人生の最後にどう救われるか。生きる幸せ、死ぬ喜び。魂のメッセージ。

知っておくと役立つ　街の変な日本語

飯間浩明

朝日新聞「be」大人気連載が待望の新書化。国語辞典の名物編纂者が、街を歩いて見つけた「まだ辞書にない」新語、絶妙な言い回しを収集。「昼飲み」の起源、「肉汁」は「にくじる」か「にくじゅう」か、などなど、日本語の表現力と奥行きを堪能する一冊。

中国共産党と人民解放軍

山崎雅弘

「反中国ナショナリズム」に惑わされず、人民解放軍の「真の力〈パワー〉」の強さと限界に迫る！　国共内戦、朝鮮戦争、文化大革命、中越紛争、尖閣諸島・南沙諸島の国境問題、米中軍事対立、そして香港問題……。軍事と紛争の側面から、〈中国〉という国の本質を読み解く。

早慶MARCHに入れる中学・高校
親が知らない受験の新常識

矢野耕平
武川晋也

中・高受験は激変に次ぐ激変。高校受験を廃止する有力中高一貫校が相次ぎ、各校の実力と傾向も5年前と一変。大学総難化時代、「なんとか名門大学」に行ける中学高校を、受験指導のエキスパートが教えます！トクな学校、ラクなルート、リスクのない選択を。

第二の地球が見つかる日
―太陽系外惑星への挑戦―

渡部潤一

岩石惑星K2−18b、ハビタブル・ゾーンに入る3つの惑星を持つ、恒星トラピスト1など、次々と発見されつつある、第二の地球候補。天文学の最先端情報をもとにして、今、最も注目を集める赤色矮星の研究を中心に、宇宙の広がりを分かりやすく解説。

俳句は入門できる

長嶋 有

なぜ、俳句は大のオトナを変えるのか!?「いつからでも入門できる」「俳句は打球、句会が野球」「この世に傍点をふるようによむ」――俳句でしかたどりつけない人生の深淵を見に行こう。芥川賞&大江賞作家で俳人の著者が放つ、スリリングな入門書。

タカラヅカの謎
300万人を魅了する歌劇団の真実

森下信雄

PRもしないのに連日満員、いまや観客動員が年間300万人を超えた宝塚歌劇団。必勝のビジネスモデルとは何か。なぜ「男役」スターを女性ファンが支えるのか。ファンクラブの実態は？歌劇団の元総支配人が五つの謎を解き隆盛の真実に迫る。

朝日新書

安倍晋三と社会主義
アベノミクスは日本に何をもたらしたか

鯨岡 仁

異次元の金融緩和、賃上げ要請、コンビニの二四時間営業まで、民間に介入する安倍政権の経済政策は「社会主義」的だ。その経済思想を、満州国の計画経済を主導し、社会主義者と親交があった岸信介からの歴史文脈で読み解き、安倍以後の日本経済の未来を予測する。

資産寿命
人生100年時代の「お金の長寿術」

大江英樹

年金不安に負けない、資産を〝長生き〟させる方法を伝授。老後のお金は、まずは現状診断・収支把握・寿命予測をおこない、その上で、自分に合った延命法を実践することが大切。証券マンとして40年近く勤めた著者が、豊富な実例を交えて解説する。

かんぽ崩壊

朝日新聞経済部

朝日新聞で話題沸騰！「かんぽ生命　不適切販売」の一連の報道を書籍化。高齢客をゆるキャラ呼ばわり、偽造、恫喝……驚愕の販売手法はなぜ蔓延したのか。過剰なノルマ、自爆営業に押しつぶされる郵便局員の実態に迫り、崩壊寸前の「郵政」の今に切り込む。

ゆかいな珍名踏切

今尾恵介

踏切には名前がある。それも実に適当に名づけられている。「畑道踏切」と安易なヤツもあれば「勝負踏切」「天皇様踏切」「パーマ踏切」「爆発踏切」などの謎めいたモノも。踏切の名称に惹かれて何十年の、「踏切名称マニア」が現地を訪れ、その由来を解き明かす。

一行でわかる名著

齋藤　孝

一行「でも」わかるのではない。一行「だから」わかる。『百年の孤独』『悲しき熱帯』『カラマーゾフの兄弟』『老子』――どんな大作も、神が宿る核心的な「一行」をおさえればぐっと理解は楽になる。魂への響き方が違う。究極の読書案内&知的鍛錬術。

日本中世への招待

呉座勇一

中世は決して戦ばかりではない。庶民や貴族、武士の結婚や離婚、病気や葬儀に遺産相続、教育は、中世の日本でどのように行われてきたのか？　その他、年始の挨拶やお中元、引っ越しから旅行まで、中世日本人の生活や習慣を詳細に読み解く。

簡易生活のすすめ
明治にストレスフリーな最高の生き方があった！

山下泰平

明治時代に、究極のシンプルライフがあった！　簡易生活とは、根性論や精神論などの旧来の習慣を打破し効率的な生活を送ろうというもの。無駄な付き合いや虚飾が排除され、個人の能力は最大限に発揮される。おかしくて役に立つ教養的自己啓発書。

スマホ依存から脳を守る

中山秀紀

スマホが依存物であることを知っていますか？　大人も子どもも知らないうちにつきあい、知らないうちに依存症に罹るのがこの病の恐ろしさ。国立病院機構久里浜医療センター精神科医が警告する、ゲーム障害を中心にしたスマホ依存症の正体。

決定版・受験は母親が9割
佐藤ママ流の新入試対策

佐藤亮子

共通テストをめぐる混乱など変化する大学入試にこそ「佐藤ママ」メソッドが利く！　読解力向上の秘訣など新時代を勝ち抜くカギを、4人の子ども全員が東大理Ⅲ合格の佐藤ママが教えます。ベストセラー『受験は母親が9割』を大幅増補。

ひとりメシ超入門

東海林さだお

ラーメンも炒飯も「段取り」あってこそうまい。ショージさんが半世紀以上の研究から編み出した「ひとりメシ十則」を初公開！　ひとりメシを楽しめれば、人生充実は間違いなし。『ひとりメシの極意』に続く第2弾。南伸坊さんとの対談も収録。

閉ざされた扉をこじ開ける
排除と貧困に抗うソーシャルアクション

稲葉 剛

25年にわたり、3000人以上のホームレスの生活保護申請に立ち合うなど貧困問題に取り組む著者は、住宅確保ができずに路上生活から死に至る例を数限りなく見てきた。支援・相談の現場経験から、2020以後の不寛容社会・日本に警鐘を鳴らす。

患者になった名医たちの選択

塚﨑朝子

がん、脳卒中からアルコール依存症まで、重い病気にかかった名医たちが選んだ「病気との向き合い方」。名医たちの闘病法に必ず読者が「これだ!」と思う療養のヒントがある。帚木蓬生氏(精神科)や『「空腹」こそ最強のクスリ』の青木厚氏も登場。

50代から心を整える技術
自衛隊メンタル教官が教える

下園壮太

老後の最大の資産は「お金」より「メンタル」。気力、体力、脳力が衰えるなか、「定年」によって社会での役割も減少します。「柔軟な心」で環境の変化と自身の老化と向き合い、新たな生き方を見つける方法を実践的にやさしく教えます。

江戸とアバター
私たちの内なるダイバーシティ

池上英子
田中優子

武士も町人も一緒になって遊んでいた江戸文化。それはダイバーシティ(多様性)そのもので、一人が何役も「アバター」を演じる落語にその姿を見る。今アメリカで議論される「パブリック圏」をひいて、日本人が本来持つしなやかな生き方をさぐる。

不安定化する世界
何が終わり、何が変わったのか

藤原帰一

核廃絶の道が遠ざかり「新冷戦」の兆しに包まれた不穏な世界。民主主義と資本主義の矛盾が噴出する国際情勢をどう読み解けばいいのか。米中貿易摩擦、香港問題、中台関係、IS拡散、反・移民難民、ポピュリズムの世界的潮流などを分析。

モチベーション下げマンとの戦い方

西野一輝

細かいミスを執拗に指摘してくる人、嫉妬で無駄に攻撃してくる人、意欲が低い人……。こんな「モチベーション下げマン」が紛れ込んでいるだけで、情熱は大きく削がれてしまう。再びやる気を取り戻し、最後まで目的を達成させる方法を伝授。

朝日新書

京都まみれ

井上章一

少なからぬ京都の人は東京を見下している？　東京への出張は「東下り」と言うらしい？　古都をめぐる毀誉褒貶は令和もやまない。外国人観光客を引きつけて日本のイメージを振りまく千年の誇らしげな洛中京都人に、『京都ぎらい』に続いて、もう一太刀、あびせておかねば。

タコの知性
その感覚と思考

池田　譲

地球上で最も賢い生物の一種である「タコ」。大きな脳と8本の腕の「触覚」を通して、さまざまな知的能力を駆使するタコの「知性」に迫る。最新研究で明らかになった、自己認知能力、コミュニケーション力、感情・愛情表現などといった知られざる一面も紹介！

老活の愉しみ
心と身体を100歳まで活躍させる

帚木蓬生

終活より老活を！　眠るために生きている人になるな、精神的不調は身を忙しくして治す……小説家で医師である著者が、長年の高齢者診療や還暦での白血病の経験を踏まえて実践している「食事」「習慣」「考え方」。誰一人置き去りにしない、快活な年の重ね方を提案。